Salva tu matrimonio

Cómo reconstruir la confianza rota y volver a conectar con tu cónyuge sin importar cuánto se haya alejado

CATALINA ZAPATA

Nota legal

El siguiente documento se reproduce a continuación con el objetivo de proporcionar información lo más precisa y confiable posible.

Esta declaración se considera justa y válida tanto por el Colegio de Abogados de los Estados Unidos como por el Comité de la Asociación de Editores y es legalmente vinculante en todo Estados Unidos.

Además, la transmisión, duplicación o reproducción de cualquier parte del siguiente trabajo, incluida la información específica, se considerará un acto ilegal, independientemente de si se realiza de forma electrónica o impresa. Esto se extiende a la creación de una copia secundaria o terciaria del trabajo o una copia grabada y solo se permite con un consentimiento expreso por escrito del editor. Todos los derechos reservados.

La información en las siguientes páginas se considera en general como una descripción veraz y precisa de los hechos y, como tal, cualquier falta de atención, uso o mal uso de los datos en cuestión por parte del lector, hará que las acciones resultantes sean únicamente de su competencia. No hay escenarios en los que el editor o el autor original de este trabajo puedan ser considerados responsables de cualquier dificultad o daño que pueda ocurrirle al lector tras analizar la información aquí descrita.

Además, la información en las siguientes páginas está destinada únicamente a fines informativos y, por lo tanto, debe considerarse como universal. Como corresponde a su naturaleza, la información presentada no garantiza su validez ni su calidad provisional. Las menciones a marcas comerciales se realizan sin consentimiento por escrito y de ninguna manera puede considerarse que hay un respaldo del titular de la marca comercial.

Índice

Introducción

Navegar por el turbio y confuso mundo de las relaciones es uno de los aspectos más complicados de ser humano. Cualquier relación tiene sus problemas, pero las románticas son las más confusas y difíciles de manejar. Una relación romántica es casi igual de difícil que un matrimonio. Cuando dices tus votos ante el altar, que deben durar hasta tu muerte o divorcio, aceptas unirte a esa persona no solo en cuerpo y alma, también formalmente.

Independientemente de la relación que hayan tenido antes o el tiempo que ya hayan pasado juntos, casarse cambia las cosas significativamente. Terminar un matrimonio no es sencillamente romper con alguien, sino que conlleva largos procedimientos legales. Cuando te casas, cambia toda la naturaleza y atmósfera de la relación que tienes con tu pareja. De repente, las cosas están mucho más comprometidas y serias, a pesar de que nada físico ha cambiado. Ambos se ven igual, suenan igual, incluso se sienten igual que cuando estaban saliendo o comprometidos. Lo que ha cambiado es tu actitud y mentalidad, y también la de tu cónyuge. Un cambio sutil, uno que ni siquiera notas al principio, pero está ahí. El pensamiento de ambos es que ya están en esto a largo plazo, para bien o para mal.

Cuando te casas, emprendes una etapa diferente en el viaje con tu pareja. Hay muchas más expectativas puestas en la relación, las tuyas y las de amigos y familiares. La gente habla de ti de manera diferente y hace referencia al hecho de que ahora estás casado. De nuevo, el efecto es sutil y el cambio a menudo no se nota. Después de todo, puede decirse que siguen siendo la misma pareja que siempre han sido. Si acaso, estás más enamorado, ¿verdad? Las cosas solo pueden mejorar porque ahora están legalmente vinculados. Si bien el matrimonio es una experiencia hermosa y satisfactoria, puede agregar, y de hecho agrega, un cierto nivel de tensión a las cosas. En particular porque, después de casarse, es estadísticamente más probable que consideres comprar una casa, tener hijos y buscar más desafíos y recompensas financieras en tu trabajo. La tensión creada por estar casado y todo el desarrollo de la vida que conlleva, puede ponerte bajo una inmensa presión. Esta tensión tiene el resultado de sacar a relucir otros problemas en tu relación y tu vida personal. Es por eso que la tasa de divorcios se acerca al cincuenta por ciento general. Hacer que un matrimonio dure es algo muy difícil.

En un pasado no muy lejano, el divorcio no era un hecho tan común. De hecho, era muy difícil divorciarse a menos que tuvieras una razón de peso. La cultura de la época era que, una vez que una pareja se casaba, se mantenían unidos en las buenas y en las malas. Claro que no por ello las parejas se obligaban a vivir felizmente (los matrimonios miserables siempre han existido), pero encontraban formas de hacer que funcionara. Si lo comparamos con hoy en día, la facilidad para realizar el trámite ha hecho que se disparen las tasas de divorcio. Las personas culpan rápidamente a sus cónyuges por los problemas en su vida y relación, y pueden convencerse fácilmente de que el pasto podría ser más verde con otra persona. Sin embargo, quienes que se vuelven a casar son más propensos a divorciarse nuevamente. En algún momento debes dejar de culpar a tu pareja, mirarte al espejo y hacer un balance completo de las razones por las cuales tu matrimonio no está funcionando. La alternativa es una vida de relaciones fallidas y matrimonios miserables.

Si tu matrimonio se rompe y no te hace feliz a ti ni a tu cónyuge, el camino ya está trazado. Tarde o temprano caerás al divorcio. Los problemas que enfrentas no desaparecerán por sí solos. La cuestión al trabajar en estos problemas es lograr cambiar la forma en que los ves. A lo largo de mi carrera como terapeuta profesional, he visto lo mismo una y otra vez. Casi siempre, cuando llega un cliente casado que busca asesoramiento por primera vez, solucionar los problemas de su relación y salvar su matrimonio es su prioridad, pero es algo que se siente perpetuamente fuera de su alcance. Siempre hay otra discusión, otro punto crítico y otra pelea. A veces ya hubo mentiras e infidelidad, así que la confianza que compartieron ha desaparecido o está a punto de hacerlo. Su matrimonio va a estrellarse y buscan una manera de salvarlo. Mi papel es intervenir e intentar alterar la forma en que ven su matrimonio, sus problemas y a ellos mismos.

Sin embargo, no es suficiente ayudar a una pareja a permanecer unida. No tiene sentido convencer a alguien de que no se divorcie si va a vivir una vida de miseria. Hay muchas parejas casadas que hacen exactamente eso; permanecen juntas y miserables, en lugar de buscar la felicidad por otro lado. No se puede solo salvar un matrimonio en esos casos, deben ser revisados y modificados. El amor y la pasión deben regresar. Si la vida sexual de una pareja está desaparecida, hay que encontrarla. Para salvar su matrimonio, no solo necesitan permanecer juntos sino ser felices juntos. Necesitan realizarse, necesitan querer estar juntos, y necesitan abrir nuevos caminos y redescubrir la intimidad en la relación. A través de las técnicas en este libro, todo eso es posible. No todos los matrimonios se pueden salvar, pero todo lo que se requiere para salvar un matrimonio es la voluntad de hacer lo que sea necesario para que las cosas funcionen. Eso es todo. A eso se reduce. Si ambas partes están dispuestas a hacer el esfuerzo, no hay obstáculo demasiado difícil para que no pueda vencerse. No hay montaña que no puedan alcanzar juntos.

A lo largo de mi carrera como terapeuta profesional, he acumulado una gran experiencia en lograr que las cosas funcionen entre parejas casadas. Lo he visto todo. No hay nada que pueda sorprenderme. He visto armarios con más esqueletos que ropa. Y mucho, mucho más. Una cosa que aprendí de toda esta experiencia es que no existe un matrimonio que no tenga la esperanza de mejorar. Claro, a veces hay dos personas que no desean que funcione, pero en estos casos, realmente no hay nada que salvar. Si ninguna de las personas quiere tomar las medidas necesarias para arreglar las cosas, no hay nada que hacer. Sin embargo, cuando se trata de las circunstancias en sí, no hay un conjunto de eventos demasiado duros o demasiado difíciles de superar, siempre que ambas personas estén dispuestas a hacer lo necesario para que las cosas funcionen. He ayudado a parejas que pensaban que su relación estaba mucho más allá de la reparación, volviendo a ser parejas felices, apreciadas mutuamente y amorosas. He visto a cónyuges, con los peores antecedentes imaginables, sentirse plenos y quedar satisfechos con su matrimonio. Si ellos pudieron hacer que funcionara, tú también puedes.

Salvar tu matrimonio se trata de aceptar una nueva oportunidad de vida. Entras en una nueva etapa en la relación con tu cónyuge, donde dejas el pasado atrás, te enfocas en vivir bien en el presente y en crear un futuro mejor. Con este libro podrás dejar atrás las pequeñas disputas, las discusiones y los malos sentimientos y, en cambio, encontrar una nueva forma de estar juntos. Te ayudará a concentrarte en la alegría de vivir, en lugar de las cosas miserables que suelen ocurrir. Te permitirá ver las cosas de manera más positiva y te enseñará que la actitud lo es todo cuando se trata de hacer que un matrimonio sea duradero. Representa la culminación de mis quince años de experiencia como terapeuta familiar profesional. Y es la suma total de los consejos y la experiencia que ofrezco a mis clientes. A lo largo de mi carrera, he aconsejado con éxito a cientos de parejas casadas sobre cómo salvar, mejorar y reformar su matrimonio, para detener la podredumbre de una coexistencia miserable y abrazar la belleza de compartir un vínculo íntimo, largo y feliz, que les dure por el resto de sus vidas.

Este libro contiene la información que necesitas para salvar tu matrimonio. Te enseñará la actitud y la mentalidad que necesitas cultivar para hacer que las cosas funcionen con tu cónyuge y cambiar, para bien, tu matrimonio. Si deseas cambiar las cosas y convertir tu matrimonio en algo mejor y más feliz, y así obtener una vida plena, lee este libro y comienza tu viaje hacia la paz y la alegría.-que quieres hacer es salvar tu matrimonio, entonces este libro te proporcionará las herramientas que necesitas no solo para rescatarlo y mantener tus votos, sino para reinventar por completo la naturaleza de tu relación. Entonces, ¿qué estás esperando? No tiene sentido que pases más tiempo en una vida que no te satisface. ¡Rompe el ciclo de la miseria ahora mismo! ¡Lee este libro y descubre cómo salvar tu matrimonio!

Capítulo uno:

Mejorando la comunicación

Todos sabemos cómo comunicarnos. Es una de las características fundamentales de los seres humanos. Eso sí, no todos sabemos cómo comunicarnos bien. No hay un lugar en donde la comunicación adecuada y positiva sea más esencial que en una relación. Puede hacer toda la diferencia cuando se trata de cultivar un matrimonio positivo, lleno de amor y gozo. En este capítulo plantearé por qué una excelente comunicación es vital, y cómo implementarla en tu relación puede hacer una gran diferencia.

La importancia de una buena comunicación

La comunicación se trata de un mensaje que se transfiere entre dos personas, un emisor y un receptor, o un hablante y un oyente. Codificamos la información a través del lenguaje y la transmitimos para que otra persona la decodifique y así pueda descifrar el significado. A través de este proceso, podemos ofrecer información sobre los mundos internos que experimentamos y trabajar para comprendernos mejor, así como profundizar nuestro conocimiento de nosotros mismos; hablar es parte del pensamiento, tenemos que hablar para entender cómo pensamos acerca de algo. Es por eso que todos tenemos monólogos internos de pensamiento donde nos "hablamos" con palabras.

La comunicación es una habilidad. Mientras más practiquemos, más efectivos seremos en todo el proceso de enviar y recibir mensajes. Entre mejores seamos para comunicar, mejores seremos para explicar lo que queremos decir y entender lo que los otros quieren decirnos. Aunque a muchos de nosotros nos guste considerarnos buenos comunicadores, la verdad es que la comunicación es relativamente fácil realizarla, pero muy difícil realizarla correctamente. El resultado es que la mayor parte de la comunicación, tanto en nuestras relaciones como en nuestra vida diaria, es increíblemente ineficiente. El ruido físico y mental, junto con otras distracciones, puede hacer el trabajo del oyente muy duro y no dejarlo enfocarse, o, dicho de otro modo, no dejarlo escuchar las palabras que se dicen, resultando en que se pierde mucho significado en el camino.

Cuando se trata del matrimonio, ser capaz de comunicarse bien es de vital importancia. Cualquier relación romántica a largo plazo representa una gran cantidad de tiempo gastado juntos y un nivel de interacción muy cercano (después de casados, esto se multiplica por diez). Pasar tanto tiempo con otra persona en una proximidad abrumadora y con tanto en juego siempre, conduce a conflictos y problemas. Cuando pasamos suficiente tiempo con alguien, inevitablemente encontramos sus aspectos molestos. Es lo mismo cuando te empiezas a molestar tras pasar mucho tiempo contigo mismo. Incluso las parejas que son muy parecidas tendrán grandes diferencias en su personalidad y preferencias, lo que conducirá a una variedad de problemas, desde los levemente irritantes hasta los que causan discusiones, peleas y divorcios. No es de extrañar que haya tantos conflictos en los matrimonios. Son criaderos perfectos y fértiles para ello.

La cuestión es que cada persona, y cada matrimonio, tiene problemas. De hecho, aproximadamente el 70% de todos los problemas que causan conflictos en los matrimonios son vistos como irresolubles por ambos cónyuges. Curiosamente, esto se aplica tanto a los matrimonios que son saludables, felices y satisfactorios, como a los que se están deshaciendo y se dirigen al divorcio. Esto nos muestra que los conflictos, problemas y preocupaciones en las relaciones son simplemente parte de ser humanos, y el matrimonio no es una excepción. Siempre habrá problemas y oportunidades para el conflicto.

Nadie es perfecto. Lo que es realmente importante, entonces, es la actitud que tomamos frente a estos problemas. Buen matrimonio, mal matrimonio, no importa, ambos tienen problemas. Es la mentalidad y el enfoque que adoptamos ante estos problemas lo que determina cuán buena es nuestra relación, no las circunstancias que causan los problemas en sí. Un buen matrimonio se trata, más que nada, de hacer más cosas que funcionan y menos que no, y la buena comunicación funciona mejor que cualquier otra cosa. Una comunicación excelente y positiva puede marcar la diferencia en tu matrimonio, permitiendo que resuelvas problemas que de otra manera podrían descarrilar las cosas.

Diferencias en la comunicación

Todos nos comunicamos de manera específica, porque todos somos individuos únicos. Sin embargo, también hay diferentes tendencias que podemos identificar entre las formas en que hombres y mujeres se comunican.

• Diferencias biológicas:

Aunque siempre hay excepciones, la biología evolutiva ha dado como resultado que los hombres y las mujeres tengan ciertos rasgos comunes que se comparten en amplias zonas de la población, lo que nos hace percibir la comunicación y procesar el significado de manera diferente.

Los hombres tienden a ver la comunicación como algo que sirve a uno de dos propósitos: hacer una declaración o hacer una pregunta. Con los hombres, todo lleva a la resolución de problemas. Están programados para querer arreglar las cosas, por lo que a menudo se vuelven oyentes frustrantes para sus esposas, a quienes les molesta que las interrumpan cada vez que piensan en la solución al problema. Las mujeres, por otro lado, ven la comunicación no solo como un medio para un fin, sino como un fin en sí mismo. Hablan simplemente para expresarse, para averiguar cómo se sienten y qué piensan, y para sacar las cosas de su pecho. Las mujeres no necesitan que les ayuden a resolver problemas con la comunicación; con toda probabilidad, ya saben exactamente lo que van a hacer. Solo quieren que sus cónyuges validen cómo se sienten.

Sin embargo, es poco probable que los hombres sientan que deben expresarse y ser abiertos sobre lo que sucede en sus corazones y mentes. También tienden a estar condicionados por su cultura y educación para creer que es castrante expresar sus sentimientos o hablar sobre cómo se sienten. Muchos aún aceptan la idea de que los hombres no deberían llorar ni mostrar ninguna debilidad, y simplemente enterrar profundamente sus sentimientos, en lugar de sacarlos de su pecho.

- Lenguajes del amor:

Otra diferencia en la comunicación que vale la pena mencionar aquí son los lenguajes de amor. En un libro de 1992 llamado *Cinco lenguajes del amor: El secreto de un amor que perdura*, el autor Gary Chapman propuso que la gente expresa su amor de cinco maneras diferentes. Esto puede generar confusión y dolor cuando un miembro de la pareja expresa sus sentimientos de afecto y amor de manera diferente al otro. Por ejemplo, una persona puede usar palabras de afirmación para expresar su amor, mientras que la otra puede confiar en el contacto físico para transmitir lo que siente a su pareja. El resultado final es que ninguna de las personas se siente amada o satisfecha porque ambas envían las señales correctas, pero de maneras diferentes. Los mensajes terminan obviándose porque cada uno espera recibir amor de la misma manera que lo expresa.

Se cree que existen cinco lenguajes de amor diferentes, como propuso inicialmente Chapman y como lo han verificado millones de parejas desde entonces:

1. **Palabras de afirmación**. Estas son las palabras habladas que utilizamos para declarar nuestro amor por nuestro compañero, como decirle cuánto significa para nosotros, cuánto los amamos y cuán agradecidos estamos de tenerlo en nuestras vidas.

2. **Contacto físico**. Esto se refiere a cualquier contacto físico o íntimo que

tengamos con nuestro cónyuge, como tomar su mano, abrazarlo y besarlo en la mejilla.

3. **Tiempo de calidad**. Este es el tiempo que sacamos de nuestras vidas para dedicarnos a estar con nuestro cónyuge, disfrutar de su compañía y conocerlo mejor.

4. **Dar regalos**. Se trata de dar algo al otro y puede ser prácticamente cualquier cosa, desde pequeños símbolos de amor, como preparar café o desayuno, hasta pagar vacaciones y joyas. Se trata de las pequeñas cosas reflexivas que hacemos el uno por el otro.

5. **Actos de servicio**. Esto se refiere a aquellas cosas que hacemos para demostrar a nuestras parejas que las amamos y que nos importa apoyarlas y ayudarlas. Pueden ser cosas tan pequeñas como llevarlas a algún lado o cosas más grandes, como ayudarlas cuando están en una situación económica difícil o con un

proyecto en el que están trabajando, sin más, solo porque podemos y queremos hacerlo.

Si puedes averiguar cuál es tu lenguaje de amor principal, así como el de tu cónyuge, es posible que puedan comunicar mejor su amor y afecto mutuo, expresando sus sentimientos en el lenguaje de amor de su pareja. También puedes aprender a comprender las expresiones de amor de tu pareja, si te das cuenta de cuándo está tratando de mostrarte que te ama.

Cómo comunicarse bien

Cuando estamos involucrados en el proceso de comunicación, tenemos uno de dos roles: somos el hablante o el oyente.

- Hablante:

La buena comunicación se trata de comprender cada uno de estos roles y poder practicarlos bien, independientemente de la situación en la que te encuentres o cuál de los roles necesites usar. Cuando estás hablando, debes tener en cuenta que estás expresando para ser entendido. Ese es tu principal objetivo y prioridad; por lo tanto, debe ser tu principal preocupación, en lugar de hablar para persuadir, influir o informar. Todo eso es secundario. Expresar para ser entendido significa que debes enfocarte en obtener una representación precisa del mensaje mental que deseas enviar al oyente, de manera tal que se minimice la falta de comunicación y la incomprensión. Tu objetivo es enviar "A" y que el oyente reciba "A" en lugar de "B".

Cuando nos comunicamos, codificamos un mensaje en un idioma para transmitirlo a un receptor que luego lo decodifica y comprende el significado. El lenguaje que utilizamos influye en qué tan bien se transmite este mensaje a nuestra audiencia. Ser un comunicador efectivo cuando se trata de un hablante, es sobre elegir nuestro idioma de una manera que sea fácil de entender para nuestra audiencia: el oyente, quien sea que tenga el rol en ese momento. Por ejemplo, si estuvieras hablando con un niño usarías un lenguaje más simple que si estuvieras hablando con un compañero profesional en tu línea de trabajo, en cuyo caso usarías un lenguaje especializado para expresar mejor tu punto.

Cuando hables con tu cónyuge, debes tratar de expresarte lo mejor que puedas para que entienda tu punto. Esto es importante en situaciones cotidianas, como ir a la tienda de comestibles o recoger a los niños de la escuela, pero es especialmente importante cuando se trata de conversaciones difíciles en las que surgen emociones y tienes que ser vulnerable. El matrimonio es la relación más íntima posible, y cada integrante debe poder abrirse con el otro por completo para que las cosas funcionen. Si sientes que no puedes ser totalmente abierto y honesto acerca de cómo te sientes, dilo. Al menos sé honesto en eso. A través de una charla cordial, y hablando con la verdad, se pueden hacer grandes avances. Muchas parejas casadas sienten que tienen problemas que son imposibles de resolver, cuando el hecho es que no se abren el uno con el otro con la suficiente honestidad como para comenzar a resolverlos. El matrimonio es difícil y hablar sobre cómo te sientes y por qué te sientes así también es difícil, pero tienes que hablar. Debes sentir que puedes hablar de absolutamente cualquier cosa con tu cónyuge, y él contigo.

- Oyente:

Para la mayoría de las personas, hablar es la mitad más fácil del proceso de comunicación. Por su propia naturaleza, hablar es un proceso activo. Cuando hablamos, estamos haciendo algo proactivo y creativo. Resolvemos en nuestras mentes qué puntos queremos expresar y luego los ponemos en palabras en un proceso continuo. Las oraciones fluyen una tras otra para transmitir significado a nuestra audiencia. La mayoría de nosotros podemos entrar fácilmente en una zona segura cuando hablamos. Solo cuando nos distraemos o nos quedamos sin argumentos, o sin las palabras correctas para decirlos, hablar se vuelve difícil. Sin embargo, cuando se trata de escuchar, las cosas pueden ser mucho más difíciles.

Escuchar se considera un proceso pasivo, ya que no estamos construyendo o codificando significado, sino decodificándolo. Claro, todavía tenemos que escuchar activamente, pero podemos fácilmente desconectarnos o distraernos sin que quede claro lo que hemos hecho. Es mucho más difícil escuchar de manera efectiva porque tenemos que prestar atención a lo que se dice. No podemos escuchar adecuadamente lo que alguien dice y hacer cualquier otra cosa al mismo tiempo. Nos distraemos y terminamos perdiendo parte de la información que se transmite, lo que resulta en una falta de comunicación y, por supuesto, en malentendidos.

Practicar una comunicación efectiva como oyente es intentar, una y otra vez, entender el mensaje que el hablante quiere transmitir. Concordar con ellos no es el objetivo aquí; deberías simplemente buscar entenderlo. Concéntrate en tu trabajo y asegúrate de que recibes el mensaje que el orador intenta comunicar. Cuando estás escuchando, tu trabajo es escuchar, así que haz todo lo posible para no interrumpir a menos que sea para pedir una aclaración sobre algo que el orador ha dicho. También debes hacer todo lo posible para evitar pensar en refutaciones o respuestas mientras escuchas, ya que esto te distraerá y evitará que escuches con atención. Una excelente manera de ser un oyente efectivo, especialmente en conversaciones individuales, como entre tú y tu cónyuge, es practicar la escucha reflexiva. Este es un proceso en el que, mientras escuchas, le proporcionas al hablante indicaciones de que estás escuchando realmente, como vocalizaciones positivas y afirmativas, asentimientos de cabeza y un buen nivel de contacto visual. Después, puedes "reflejar" tu comprensión de lo que el hablante ha dicho para asegurarte de que coincidas con el significado de su mensaje original.

Mucha gente opina que escucha bien a su cónyuge, cuando en realidad solo escucha en la medida en que permite que su cónyuge hable. En lugar de darle a su pareja tanto tiempo y espacio como sea necesario para expresarse, a menudo aprovechará las oportunidades para aportar su propia opinión. Escuchar a tu cónyuge cuando habla es validar sus sentimientos, independientemente de si estás de acuerdo con él o no. Tu opinión al respecto es más o menos irrelevante. No cambiará lo que el otro siente. Se sienten como se sienten, y la mejor manera de resolver los problemas difíciles y las emociones problemáticas es dejar que las experimenten.

Debes ser paciente, abierto y receptivo a la forma en que se siente tu cónyuge, sin importar lo que opines al respecto. Si no consientes en darle un foro abierto y sin prejuicios para que se exprese por completo, solo reprimirá sus emociones y terminará resentido contigo. Si escuchar no ha sido tu fuerte en el pasado, has un esfuerzo para cambiar eso ahora. Calla y presta atención a tu cónyuge cuando te diga cómo está. Anímalo a abrirse; dile que quieres comprenderlo mejor, sin hablar, con solo escucharlo mientras te transmite su corazón. Deja de lado cualquier deseo de controlar cómo se siente, qué piensa o dice. Simplemente deja que tu pareja sea libre de ser ella misma, acepta lo que te diga sin juzgar y con una mente abierta. Paciencia, permítele hablar con total libertad y a su propio ritmo.

Aprender a escuchar correctamente a tu cónyuge representa un salto cuántico en la relación y en el matrimonio. Al darle espacio y tiempo para expresarse plenamente, estará motivado para corresponder y devolverte el favor. Establecer una cultura de apertura, libertad de expresión y seguridad emocional en tu matrimonio, sienta las bases para tratar los problemas pasados, actuales y futuros por igual, de una forma madura, tranquila y empática. Escuchar a las personas te ayuda a comprenderlas mejor. Las razones por las cuales son así, los pequeños pensamientos detrás de sus acciones y los sentimientos detrás de sus palabras se vuelven más claros. Te ayuda a ponerte realmente en su lugar y ver las cosas desde su perspectiva, una habilidad que bien podría ser un superpoder a la hora de gestionar tus relaciones con los demás. Es posible que escuchar no sea la única clave para salvar tu matrimonio, pero es un primer paso importante.

- Lenguaje corporal:

Cuando se trata de la comunicación cara a cara, muchas personas asumen que hablar y escuchar es la mayor parte de la misma. De hecho, la mayoría de la comunicación en una interacción interpersonal es no verbal. ¡Algunos investigadores y psicólogos conductuales piensan que podría alcanzar el 90%! Cuando hablamos o incluso escuchamos, no lo estamos haciendo solo con nuestras palabras. Nuestros cuerpos transmiten automáticamente mensajes sobre cómo nos sentimos y qué pensamos. Este es un proceso principalmente subconsciente, aunque podemos controlarlo mientras le prestamos atención, al igual que la respiración. En general, nuestro lenguaje corporal es algo que sucede sin que nos demos cuenta de que está ocurriendo lo que significa que puede revelar nuestros verdaderos sentimientos, incluso cuando hacemos todo lo posible para cubrirnos con nuestras palabras.

Estos indicadores sutiles de nuestros verdaderos sentimientos se manifiestan de diversas maneras; nuestra postura, la forma en que nos movemos o nos detenemos, lo que hacemos con nuestras manos o nuestras piernas y nuestras expresiones faciales, dan pistas sobre en qué estado mental estamos y cómo nos sentimos ante una situación en particular. Por ejemplo, tener los brazos cruzados es un lenguaje corporal defensivo y sugiere que la persona se siente incómoda o nerviosa. Del mismo modo, tener nuestras manos a los lados, o moverlas animadamente cuando hablamos, sugiere un estado de ánimo más abierto y expresivo. Además, nuestro tono de voz y el contacto visual también revelan signos de nuestra composición interna. Generalmente, nuestro lenguaje corporal es interpretado por otros a nivel subconsciente y automático. Aunque no es algo que tendemos a notar conscientemente, nuestras mentes perciben lo que transmite el lenguaje corporal de otra persona. Esto se manifiesta como un presentimiento que tenemos; podemos detectar cuando alguien está enojado o molesto con relativa facilidad, solo por el lenguaje corporal que nos transmite, aunque es posible que ni siquiera pensemos en cómo nos dimos cuenta.

El lenguaje corporal es una forma de comunicación muy instintiva, primitiva. De eso dependen la mayoría de los animales para comunicarse en la naturaleza, incluso aquellos con grupos sociales complejos e interacciones complicadas, como nuestros amigos los simios, o los perros y los gatos. Aunque nos gusta pensar en nosotros mismos como altamente evolucionados y educados, y pensar que confiamos más en nuestras palabras que en nuestros cuerpos, todavía estamos muy sintonizados y sensibles al lenguaje corporal. No solo captamos el lenguaje corporal de otras personas, sino que confiamos en lo que nos dice más de lo que confiamos en sus palabras. Es por eso que detectamos el sarcasmo con bastante facilidad. Cuando el mensaje de las palabras no coincide con el tono de voz o el lenguaje corporal, ignoramos las palabras y usamos el comportamiento y tono para juzgar los verdaderos sentimientos. También reflejamos el lenguaje corporal de otras personas cuando interactuamos o les prestamos atención, sin darnos cuenta de que lo estamos haciendo. La próxima vez que estés en una reunión grupal, cruza los brazos y recuéstate en tu silla, observarás que otras personas también lo hacen en los próximos minutos. Reflejar el lenguaje corporal de esta manera es una forma instintiva de promover la cohesión social y sincronizar el estado de ánimo. Nos permite adaptarnos mejor a las personas que nos rodean.

También puedes usar el reflejo como ingeniería inversa, para averiguar qué significa un movimiento que alguien más realizó. Cuando notas el lenguaje corporal de alguien, pero estás luchando por entender qué te dice realmente, puedes imitarlo después, cuando estés solo, y ver qué sentimientos te produce ese comportamiento específico. Al hacer esto, puedes tratar de comprender lo que el lenguaje corporal de la otra persona decía sobre sí misma. También puedes aprovechar esta forma de comunicación innata e inconsciente, para mejorar la forma en que te comunicas en tu matrimonio. Si te das cuenta del lenguaje corporal de tu cónyuge y actúas en consecuencia, puedes responder a su estado de ánimo de una manera más sensible. También puedes transmitir un lenguaje corporal más abierto e íntimo para que tu pareja se sienta más relajada y compenetrada contigo.

Cuando se interrumpe la buena comunicación y los mensajes no se transfieren correctamente entre tu cónyuge y tú, realmente se pueden generar problemas en tu matrimonio. Hay varias causas que llevan a la falta de comunicación y a los malentendidos, algunas son: no escuchar con total atención o usar palabras equivocadas. Una gran limitante de la comunicación es que depende de la interpretación individual. Para entender un mensaje tenemos que compararlo y contrastarlo con cosas que ya conocemos, esa es la forma de interpretar. Esencialmente, así es como nuestro cerebro procesa la información, por asociación. Esto significa que las personas pueden tener interpretaciones muy diferentes del mismo mensaje, simplemente porque tienen diferentes conjuntos de asociaciones en su mente que se activan cuando escuchan tal palabra o frase. Las connotaciones y el significado inferido de cualquier mensaje pueden variar mucho de persona a persona. Por ejemplo, una persona puede amar a los perros y recibir una comunicación positiva de alguien que habla de perros, pero una persona con miedo a los perros, aunque reciba exactamente la misma comunicación, la verá de una manera muy diferente y mucho más negativa. La comunicación está limitada, tanto por tu capacidad como por la de tu audiencia, para procesar y comprender lo que se dice. Cuando se trata del matrimonio, superar estas diferencias implica hablar a menudo y abiertamente para comprender mejor la comunicación con tu cónyuge.

Capítulo dos:

Hagamos que el matrimonio funcione

Cada matrimonio pasa por momentos en los que parece que las cosas no tienen remedio. Estar con alguien de una manera tan cercana y personal, durante un período tan prolongado y bajo la presión de ustedes mismos y de otros, es un caldo de cultivo para conflictos, problemas y dificultades que surgirán en ciertos puntos durante su matrimonio. En este capítulo analizaremos lo que tú y tu cónyuge deben hacer para que las cosas funcionen, es decir, para que tu matrimonio vuelva a la normalidad y vaya en la dirección correcta.

Actitud, mentalidad y perspectiva

Como indiqué en el capítulo anterior, cada matrimonio tiene aproximadamente la misma cantidad de problemas irresolubles, ya sea un matrimonio genial o uno terrible. Esto nos dice que el hacer que tú y tu pareja tengan una experiencia marital hermosa y satisfactoria, se reduce a la forma en que los dos perciben su compromiso y a cómo se ven el uno al otro. La actitud que tienes hacia tu relación es el factor más importante en el contenido y la calidad de tu matrimonio.

La razón de esto es que la actitud y la perspectiva dan forma a todo en nuestras vidas. Al final del día, que las cosas sean buenas, malas o intermedias es simplemente una cuestión de cómo eliges verlas. El matrimonio no es diferente. Independientemente de la calidad objetiva de tu matrimonio, la forma en que lo ves determina si es positivo o negativo. De hecho, excepto por la tinta en un papel, objetivamente tu matrimonio ni siquiera existe. Es un concepto; es subjetivo. Es lo que tú y tu cónyuge ven y, por lo tanto, es lo que ustedes determinan que es.

Esta puede ser una idea difícil de entender al principio, pero confía y quédate conmigo. Te prometo que, si puedes manejar esto, todo lo demás en tu matrimonio eventualmente caerá en su lugar. Tu matrimonio es lo que es; siempre podría ser mejor, siempre podría ser peor. Ningún matrimonio o relación es perfecto. Es simplemente nuestra naturaleza humana. Si decides centrarte en los aspectos positivos de tu matrimonio, se verá más positivo en tu mente. Te acercarás a tu cónyuge de una manera más optimista y amigable. Estarás más agradecido por todas las cosas buenas que representa tu matrimonio. No es que debas descuidar los aspectos negativos de tu relación o ignorarlos por completo; por el contrario, debes resolver los problemas siempre que puedas, aprender de ellos y seguir adelante; pero enfocarte en los aspectos positivos o negativos de tu matrimonio es una elección que puedes hacer, y que haces, cada segundo de cada día. Cada pensamiento que tienes, o palabra que le dices a tu pareja, es positivo o negativo en su contexto. Viene de un lugar de amor o de un lugar de odio. Si tomas la decisión de tratar constantemente de ver tu matrimonio de manera positiva, de forma amorosa, agradecida y sensible, con el tiempo se volverá positivo. Todo es posible si tanto tú como tu cónyuge se comprometen a tener una visión más positiva. La actitud es la clave para reiniciar tu relación, recalibrar tu mente y volver a enfocarte en todas las cosas hermosas que representa tu matrimonio.

Un matrimonio es un vínculo entre tu cónyuge y tú. Ustedes dos son un equipo, aun cuando no lo sientan así. Necesitan cuidarse las espaldas en lo bueno y en lo malo. Debería ser todo el tiempo "tú y yo contra los problemas", en vez de "tú contra mí". Lo primero promueve el trabajar como equipo y sobreponerse a los obstáculos como una unidad. Lo segundo solo acarrea resentimiento. No importa de quién es la culpa, todos somos culpables de algo en algún momento. Lo que sí importa es ser capaces de sentarse a trabajar juntos para resolver cualquier problemática que los esté preocupando, sin echarse en cara quién está en lo correcto y quién no.

Hacer que un matrimonio funcione requiere un compromiso total con ese viaje por la vida de ambos, sin importar a dónde los lleve. Habrá dificultades, por supuesto, pero siempre las hay en la vida. No hay forma de evitarlo; así son las cosas. No es posible tener una relación o un matrimonio perfecto y sin fricciones, y nunca debería ser tu objetivo. Un objetivo aceptable debería ser lidiar con los problemas de una manera emocionalmente saludable y productiva, en vez de gritar o culparse mutuamente. El respeto, la honestidad, la confianza y el esfuerzo son las piedras angulares de cualquier matrimonio. Para que las cosas funcionen, debes asegurarte de que los cuatro estén presentes en tu mente y la de tu pareja.

A menudo, los matrimonios se desmoronan porque las cosas se estancan. Una vez que el período de luna de miel desaparece y las llamas del enamoramiento se apagan un poco, las personas sienten que han perdido la pasión en algún lugar del camino. Pueden sentirse menos entusiasmados con su cónyuge o acostumbrarse a él y comenzar a anhelar la tensión y la emoción de una relación nueva. El comienzo de una relación se caracteriza por la liberación de sustancias químicas, como la dopamina, tanto en tu cerebro como en el de tu pareja. Es por eso que las relaciones se sienten tan emocionantes al principio: una avalancha de químicos te hace sentir increíble. Muchos se envician con la sensación y van de una relación a otra con tal de obtener los ansiados golpes de dopamina en cada nuevo romance. Otros cometen el error de creer que lo que sienten en ese momento es el amor. Ya que están con alguien por un tiempo, especialmente después del matrimonio, las llamas se apagan, los químicos dejan de liberarse en dosis tan altas y ellos sienten que algo ha cambiado, que el "amor" ha desaparecido. Sin embargo, este no es el caso. El amor no se ha ido a ninguna parte, porque esas sensaciones no eran amor. Fue solo la unión de substancias químicas que aparecen cuando inicias una relación.

¿Qué es el amor, entonces, si no ese sentimiento? Esa es una pregunta que les ha costado responder incluso a los filósofos que se le han enfrentado. En mi opinión, el amor es algo mucho más profundo que los sentimientos superficiales causados por los químicos en tu cerebro cuando comienzas a enamorarte. El amor es una elección; una actitud. Es la decisión de tratar bien a tu pareja porque te preocupas por ella y quieres que sea feliz. Es algo mucho más profundo y más satisfactorio de lo que podría ser cualquier ímpetu ocasionado por la dopamina: es el calor latente y brillante que queda una vez que todas las llamas se han apagado, pero que arde mucho y mucho más tiempo que cualquier hoguera. Esta es la realidad de las relaciones románticas humanas. No importa con quién estés, eventualmente las llamas del enamoramiento desaparecerán y te quedará algo hermoso y duradero. Esto, desde luego, no significa que la pasión tenga que abandonar tu matrimonio. Las cosas solo se estancan si descuidas la relación y permites que lo hagan. Puedes hacer un esfuerzo para mantener las cosas frescas y picantes y así avivar el fuego con más combustible. Nunca conocerás todo de la otra persona, sin importar cuánto tiempo pases junto a ella. Si mantienes el deseo de aprender sobre tu cónyuge y sigues entusiasmado por explorar tu vida a su lado, siempre sentirás cercanía y pasión por él.

Expectativas

Una parte importante de acertar en tu actitud y mentalidad, cuando se trata de tu matrimonio, es tener una perspectiva saludable de las cosas al gestionar tus expectativas. Todos tienen diferentes preferencias y diferentes ideas sobre cómo deberían ser las cosas. Las personas son independientes y autónomas, y lo que atrae a un miembro del matrimonio podría no ser atraerle al otro. Esto no es algo malo, solo es otra característica del ser humano. La decepción ocurre cuando la realidad de una situación no cumple con las expectativas que nos habíamos hecho desde mucho antes. Esto puede conducir a una multitud de problemas, tanto pequeños como grandes, dentro del contexto de una relación larga o un matrimonio.

Un resultado común de las expectativas mal administradas, es que uno de los compañeros siente que no es lo suficientemente bueno para su cónyuge. Se sienten criticados y críticos, como si todo el tiempo estuvieran siendo evaluados y nunca lograran hacer lo suficiente para complacer a su otra mitad o para cumplir con sus expectativas. El resultado es que siempre se sienten nerviosos e incapaces de relajarse con su pareja por temor a hacer algo que el otro considere "incorrecto" o inaceptable. Ninguna relación debería sentirse así y, ciertamente, no un matrimonio. No tendría que ser como estar en libertad condicional; estar casados y juntos debería permitirles relajarse y sentirse en casa.

Esto se puede solucionar de dos maneras. Si bien la crítica constante es abrasiva y socava una relación porque forma un patrón de comportamiento negativo, a menudo se trata de circunstancias individuales relativamente insignificantes y agrupadas durante un período de tiempo. Esto facilita la reacción exagerada, especialmente cuando parece que nunca termina. Un ligero comentario afilado o sarcástico puede ser la gota que derramó el vaso. Con esto en mente, cada vez que te encuentres en el extremo receptor de las expectativas poco realistas de tu pareja, respira hondo e intenta mantener la calma. Tu respuesta de lucha o huida se dispara debido a lo que percibes como una amenaza para tu felicidad, tu ego o tu autoestima. Cuando esta respuesta está activa, tu corteza prefrontal, la parte de tu cerebro responsable del razonamiento, la evaluación y el pensamiento racional, no puede funcionar normalmente. Esta reducción en tu capacidad de pensar lógicamente puede hacer que reacciones de forma brusca y exagerada, causando un rápido descontrol de la situación.

Se necesita una comunicación saludable acerca de lo que cada uno espera de sí mismo, del otro y del matrimonio para aclarar las cosas y evitar futuros conflictos. El mejor momento para hacer esto es al principio de la relación. El segundo mejor momento es ahora. Si no hablas abiertamente sobre lo que necesitas, quieres y esperas de tu matrimonio, ¿cómo se supone que tu cónyuge entienda qué debe hacer para que ambos sean felices? Su trabajo es amarse y hacer todo lo posible para entenderse. Cuando nos entendemos mejor, nos irritamos menos y esto solo es posible a través de una comunicación abierta y honesta sobre nuestras expectativas.

Lidiando con la amargura y el resentimiento

Hay dos cosas que caracterizan cada matrimonio disfuncional e infeliz. Las experiencias negativas que tenemos con nuestros cónyuges nos llevan a cansarnos y retraernos, a guardar rencor entre nosotros y a desear un cambio. El conflicto nos pone a la defensiva y nos lleva a reaccionar, a veces exageradamente, además provoca que ambas partes se desprecien. La comunicación en general se vuelve difícil. La comunicación sobre temas difíciles se vuelve prácticamente imposible. En estas circunstancias, mantener un matrimonio saludable y satisfactorio parece un sueño lejano. Comenzamos a obstruirnos unos a otros, alejándonos emocionalmente de la relación con nuestros cónyuges y enfrentando cualquier intento de reconciliación con actitud defensiva y escepticismo. Cuando crece el resentimiento hacia las personas que más amamos, parece que se ha llegado demasiado lejos para volver a ser como antes. Mucho ha cambiado. Es como si cada interacción tuviera encima una nube oscura. Ser heridos nos enferma y nos cansa tanto, que comenzamos a esperarlo a cada momento; nos volvemos abiertamente hostiles para ya no experimentar la agonía de ser lastimados.

La cuestión es que la realidad actual de nuestras relaciones o matrimonios no se decide por lo que sucedió en el pasado, sino por la actitud que les brindamos ahora. Si permitimos que las malas experiencias moldeen nuestra actitud actual de forma negativa, nuestra realidad también será negativa. Siempre tenemos una opción cuando interactuamos con alguien más; los tratamos de una manera que proviene desde el amor o del odio. Si vamos a hacer que las cosas funcionen con alguien, tenemos que elegir tratarlo con amor, amabilidad y compasión aquí y ahora, independientemente de sus acciones en el pasado o en el presente. Pregúntate: ¿Qué tipo de persona quiero ser? ¿Qué tipo de matrimonio quiero tener? La forma en que tratas a tu cónyuge y cómo piensas acerca de él, determina la calidad de la relación que tienes. Hacer que funcione significa comprometerse a dejar atrás la amargura y el resentimiento, y seguir adelante.

Una comunicación positiva y saludable, basada en los principios correctos y que viene desde el amor, es esencial para superar las dificultades que experimentamos en el matrimonio. Se amaban lo suficiente como para elegir casarse, ahora deben tomar la decisión de tratarse con amor y amabilidad. A lo largo de mis años como terapeuta, he oído que innumerables parejas casadas dicen que se odian y se desprecian. Y, en mi experiencia, la gran mayoría de las veces esto no es cierto, aun si piensan que es así. No es posible odiar fuertemente a alguien, a menos que lo culpes por causar la pérdida de algo que amas.

53

Casi todas las parejas que decían odiarse sufrían por el amor que alguna vez tuvieron y se culpaban mutuamente por perderlo. El amor seguía allí debajo; nunca se fue. Todo lo que tenían que hacer era aprender a ver las cosas desde una perspectiva diferente. Tuvieron que dejar a un lado los egos, comprometerse a hacer que las cosas funcionaran y trabajar juntos para superar sus problemas. El odio es siempre una reacción al dolor. Cuando estamos heridos, atacamos a las personas que amamos, quienes a su vez nos hieren y nos odian por el dolor que están experimentando. Este es solo otro aspecto desafortunado de la condición humana. Cuando nos sentimos amenazados o arrinconados, como cuando debemos entablar una conversación que no estamos preparados para tener, atacamos. A veces la gente arremete y no hay una causa aparente: sea lo que sea, está oculto. Su comportamiento es simplemente una manifestación de lo que sea que los haya lastimado, puede ser algo que hayas hecho o algo totalmente ajeno a la relación.

Cuando decides elegir el amor, dejar a un lado la amargura y el resentimiento y concentrarte en volver a conectar emocionalmente con tu pareja, la relación cambiará ante tus propios ojos. Encontrarás que te vuelves más perspicaz y agradecido por las cosas buenas de tu cónyuge y de tu matrimonio. Hay poder en la gratitud; estar agradecido por las cosas cambia tu perspectiva sobre su relación. Si comunicas esta gratitud a tu cónyuge, tu relación comenzará a descongelarse, sin importar cuán heladas estén las cosas. Elegir el amor se trata de comunicar el valor que le das a tu relación y a tu cónyuge. Aprecia a tu cónyuge y dile por qué. Hay muchas maneras dulces y reflexivas que te permitirán demostrar lo que significa tu otra mitad. Puede dejarle mensajes tiernos en el refrigerador o en su almuerzo, o regresar a casa temprano para pasar tiempo juntos. Déjale saber que tu vida es mejor porque está en ella.

Cambia la energía de tu relación para influir en la percepción que ustedes y los demás tienen de ella. Evita las críticas siempre que puedas, especialmente si se trata de algo trivial. Cuando no puedas evitarlas, se amable, compasivo, amoroso y discreto. Ten en cuenta que las críticas no tienen que ser intencionadas o incluso reales para tener efectos negativos en el matrimonio, solo deben ser percibidas. Intenta cambiar la forma en que interactúas con tu pareja para que venga desde el amor, en lugar de la indiferencia, la negatividad o el odio. Cambia la mentalidad sobre tu matrimonio y, lo más importante, cambia la forma en que enfrentas los problemas. Recuerda, son ustedes dos contra el mundo, siempre, independientemente de cuál sea el problema. Respétense como aliados y amigos, así como pareja. Concéntrate en ser positivo y llevar positividad a tu matrimonio, sin importar que al principio todo parezca cuesta arriba. La parte más difícil siempre es comenzar. Actúa y habla tan a menudo como puedas, pero siempre desde la compasión, amabilidad, paciencia y comprensión. El amor es un esfuerzo, y tienes que poner todo lo que puedas para dejar atrás el resentimiento.

Lo más importante es que debes ser capaz de perdonar. El perdón no es tarea fácil, requerirá toda la paciencia y comprensión que puedas reunir. Puede ser útil recordar que las cosas rara vez salen como queremos o planeamos. Las cosas simplemente se desarrollan y, a veces, nos encontramos en situaciones en las que no hay una salida fácil. Ustedes están juntos en esto y no importa lo que haya sucedido en el pasado; si ambos lamentan sus fechorías y errores y quieren avanzar juntos hacia un futuro mejor, no importa nada más. A lo largo de los años, tuve muchos clientes que creían que su matrimonio estaba en coma y mucho más allá de una recuperación saludable. Había sucedido demasiado: demasiados sentimientos negativos, demasiadas mentiras, demasiada infidelidad, hostilidad y resentimiento. En casi todos los casos, esos matrimonios no habían sido reparados en el pasado, aunque estuvieran gravemente dañados. Como dije antes, las circunstancias no importan. Lo he visto todo. Al final, cuando se trata del matrimonio, lo único que realmente importa es la voluntad para hacer que las cosas funcionen. Tan solo eso puede superar un sinfín de problemas.

¿Qué destruye un matrimonio?

Todos tienen ideas diferentes sobre las causas del divorcio. Cada divorcio resulta de su historia única de dolor y miseria. Lo único que suena cierto en casi todos los matrimonios destruidos con los que he interactuado durante mi carrera es que, en última instancia, la mayoría del dolor que sentimos no lo causan otras personas, proviene de nosotros mismos. No está fuera, no es causado por las personas o las circunstancias de la vida; en última instancia, está dentro de ti. La mayoría de las personas no se dan cuenta y se quedan casados, aunque se sientan miserables. Culpan a otros por sus problemas, aunque en el fondo saben que serían infelices sin importar con quién estuvieran.

Puedes seguir casado, pero no tienes que seguir miserable. De todos modos, dejar a alguien o divorciarse no es garantía de felicidad. No eliminará el dolor o el vacío que hay dentro de nosotros. Nuestros subconscientes nos gobiernan. Estamos programados para actuar de la manera en que actuamos. Esto es algo que no nos gusta admitir ni ante nosotros mismos. A todos nos gusta creer que actuamos por voluntad propia. La verdad es que estamos programados para ser como somos por nuestra genética y por cómo nos han formado las cosas que nos sucedieron en la vida, particularmente en la infancia. Tratamos a nuestros esposos o esposas de la misma manera en que vimos que nuestros padres se trataban mientras crecíamos. Las cosas a las que estamos expuestos cuando somos niños sirven como plantillas en las que modelamos nuestro comportamiento como adultos, y sin siquiera darnos cuenta. Este proceso se conoce como "impresión". La impresión da forma a todo sobre nuestro yo futuro, desde nuestras lealtades y estándares hasta nuestro comportamiento. Algunas personas están programadas para irse, mientras que otras lo están para quedarse. Estamos programados para enfrentar el conflicto cerrándonos a los sentimientos o encendiéndonos de ira. Los patrones que se forman en la infancia pueden, por lo tanto, terminar destruyendo los matrimonios en la edad adulta.

Esto es particularmente cierto para aquellos que fuimos víctimas de abuso físico o emocional en la infancia. El abuso, el descuido y el abandono dejan cicatrices profundas, duraderas y un dolor terrible en el interior que luchamos por procesar. Más adelante, cuando se activa la programación y reaparece, puede afectar nuestros matrimonios. Tomar conciencia de nuestra programación y hablar sobre nuestras experiencias infantiles con nuestro cónyuge, nos ayuda a lidiar con el dolor interno y a superar nuestra programación infantil. La comunicación es la clave, no alejar a la persona que amamos por culpa del dolor y el miedo. La mayoría de los matrimonios se destruyen de adentro hacia afuera, no al revés. Fortalecer el vínculo que tienes con tu cónyuge, a través de una comunicación positiva y abierta sobre problemas emocionales fuertes, los puede ayudar a ambos a permanecer juntos en los momentos difíciles.

Mejorando el matrimonio

Cuando se trata de mejorar la calidad de tu matrimonio, primero debes abrazar una especie de paradoja. La verdad es que realmente no necesitas mejorarlo como tal; solo necesitas cambiar la forma en que lo percibes. Si cambias la forma en que ves tu matrimonio, formarás parte de algo más positivo. El primer paso para mejorarlo es reconocer que ya es bueno. Si esto te hace reír y crees que tu matrimonio es realmente malo, te insto a que lo pienses de nuevo. El hecho de que estés leyendo o escuchando este libro, sugiere que deseas tratar de salvar su matrimonio, por lo que debe haber algo que valga la pena salvar. Incluso si crees que tu matrimonio es negativo en general, siempre habrá aspectos positivos que lo pueden redimir. Concéntrate, junto con tu cónyuge, en estas partes de tu relación, en lugar de solo pensar en las cosas negativas.

En pocas palabras, tu matrimonio es lo que es: siempre puede ser mejor y siempre puede ser peor. Estás programado para juzgar y evaluar todo en tu vida, así que trata de juzgar tu relación de una forma certera. En lugar de repetirte, y a tu pareja, lo malas que son las cosas, intenta pensar y hablar sobre lo buenas que son. Tu realidad se conforma por aquello a lo que le prestes atención, así que préstale atención a todas las cosas buenas de tu cónyuge. Documenta las cosas por las que vale la pena formar parte de tu matrimonio para apreciarlas y disfrutarlas. Muéstrale a tu cónyuge lo que significa para ti y tu matrimonio comenzará a mejorar.

Desarrollando el plan de acción para que tu matrimonio funcione

Una forma efectiva de implementar un cambio real y duradero en tu matrimonio es desarrollar un plan de acción. Esta estructura es un camino formulado para acercarte a tu matrimonio, lo que significa que ambos deben acceder a utilizarla y trabajar juntos mientras registran su progreso. Una de las mejores formas que he encontrado para poner en práctica este método es sentarte junto a tu cónyuge y elaborar una lista de todos los pasos que deben dar para recuperar su matrimonio y progresar juntos. Estos pasos deben adaptarse a su situación específica y pueden ser cualquier cosa que ambos necesiten hacer para que las cosas funcionen, siempre que ambos puedan hacerlo juntos.

Lo primero es hacer una lista de todas las áreas con desacuerdos y conflictos en el matrimonio. A partir de esto, pueden calcular lo que necesitan hacer para que su plan de acción funcione. También te recomiendo considerar los siguientes 12 pasos al elaborar el plan:

1. **Enfócate en ti**: No puedes controlar las acciones de tu cónyuge ni de nadie más, solo las tuyas. Todo lo que puedes hacer es trabajar en ti mismo y ceñirte a tu parte del plan de acción. Si tu cónyuge está luchando, entonces deberías estar allí para apoyarlo, pero no puedes trabajarlo o cambiarlo desde el exterior. El cambio duradero siempre viene de adentro.

2. **Aprende a expresar tus preocupaciones de forma positiva**: Esto también se conoce como crítica constructiva. Parte de ser un buen cónyuge y un buen amigo, es estar allí para decirles las incómodas verdades que tal vez no quieran escuchar. Si bien es tu trabajo expresar tus preocupaciones, no tienes que ser rencoroso al respecto. Cuando tu pareja plantea un problema, piensa en cómo decir las cosas con un giro más positivo, solidario y constructivo del problema. Esto los ayudará a lidiar con los problemas que enfrentan de una manera mucho más saludable, en lugar de sentir que solo son demasiado críticos y mezquinos con el otro.

3. **Comprométete a tomar decisiones en conjunto**: Cuando se casan, ustedes dos forman un equipo. Las cosas que hacen los afectan a ambos de una manera muy personal y directa. Como tal, es correcto que tomen grandes decisiones

juntos, porque tu cónyuge merece tener voz y voto en las decisiones que también lo afectan. Además, ten en cuenta que tu cónyuge representa la relación más íntima y mejor desarrollada que debes tener en tu vida. Un matrimonio saludable es aquel en el que cada uno busca el consejo del otro porque respetan sus opiniones.

4. **Trabaja en tu energía**: A través de tus acciones, palabras y actitud, aportas cierta energía e intensidad a tu matrimonio. Puedes controlar y dar forma a esta energía para enfocarla en diferentes áreas y crear diferentes estados de ánimo. Puedes y debes trabajar para mejorar el tipo y la cantidad de energía que aportas a tu matrimonio, debes intentar que sea lo más positiva posible. No es saludable fingir que estás bien cuando no lo estás, aunque sea por el bien de tu cónyuge, pero puedes influir en cómo te sientes prestando atención a las cosas correctas. Debes hacer todo lo posible para mantener

tu energía positiva, enfocándote en las cosas buenas de tu vida y tu matrimonio, en lugar de prestar atención a todos los aspectos negativos.

5. **Habla mucho y abiertamente**: Comunicarse, comunicarse y comunicarse. Necesitas hablar con tu cónyuge con frecuencia y la calidad de la comunicación debe ser lo más alta posible. No tienes que estar pegado a tu pareja, pero encuentra y aprovecha todas las oportunidades para hablar que puedas. Recuerda tratar de escuchar más de lo que hablas, y cuando hables, hazlo desde el corazón. Se abierto sobre cómo te sientes y qué piensas. Intenta que cada palabra signifique lo que quieres; esto se conoce como tener integridad y hará que tu matrimonio sea mil veces mejor.

6. **Confía en tu pareja**: La confianza es la base sobre la que se construyen las relaciones. Sin ella, casarse sería como tratar de construir una catedral sobre

cimientos de arena; simplemente no es posible. Todo implosionaría y se hundiría en poco tiempo. La confianza se gana, es cierto, pero también debe darse para que las cosas funcionen. Tienes que aceptar el hecho de que algunas personas te lastimarán en la vida y que todo lo que puedes hacer es confiar en los que amas; el resto depende de ellos. Hay quien iría más lejos y diría que todos te herirán eventualmente. Parte de aprender a amar tu vida es descubrir por quién vale la pena ser herido. Si existen razones serias para una profunda falta de confianza en tu relación, en el cuarto capítulo de este libro veremos cómo trabajar para reconstruirla sin importar que tan malo parezca; así que aguanta un poco.

7. **Muestra gratitud y aprecio**: Hay pocas cosas más agotadoras que trabajar duro y dar lo mejor de ti, solo para sentirte infravalorado y que no reconozcan tu esfuerzo. Cultivar un matrimonio más feliz

y saludable solo es posible si puedes reconocer las acciones amorosas y el apoyo de tu cónyuge, agradeciéndole sinceramente y diciéndole que lo aprecias por todo lo que hace.

8. **Muestra emoción**: No importa cuán extraño se sienta llevar tu corazón en la mano y mostrar tus emociones, esa es una parte importante de ser humano y de estar en una relación amorosa. No eres una piedra. Eres el marido o la mujer de alguien. Eres un ser humano y tienes emociones. Eso es algo muy bello. Sin emoción, la vida no valdría la pena. Abraza el espectro completo de tu vida y muéstrale a tu cónyuge cómo te sientes. Muestra cuando estás emocionado, cuando estás feliz, cuando estás triste: no importa. Sé tú mismo, sé abierto y muéstrale cómo te sientes, en lugar de guardarte tus sentimientos.

9. **Se honesto**: La honestidad total puede ser una píldora muy amarga y difícil de

tragar, pero si realmente quieres forjar un matrimonio que dure y esté lleno de recuerdos amorosos y felices cuando lo recuerdes, es esencial. Tienes que ser absolutamente honesto con tu cónyuge, no importa lo difícil que sea. Debes tener la humildad de levantar las manos y admitir cuando te equivocas. Tienes que estar lo suficientemente centrado para admitir tus errores y buscar el perdón. Nadie más lo hará. Sin honestidad, un matrimonio nunca podría llegar lejos. No importa cuán bueno seas para reservarte cosas, algo eventualmente se escapará. Tu cónyuge descubrirá qué es lo que no quieres que sepa y eso romperá la confianza en tu relación. Si realmente quieres que las cosas funcionen, trabaja en tu honestidad.

10. **Apoya y respeta**: Tu trabajo como cónyuge y pareja es estar ahí para tu otra mitad, en las buenas y en las malas. Debes ser su roca cuando los tiempos sean difíciles y tu pareja te devolverá el favor

cuando sea tu turno de necesitar un hombro para llorar. Deben apoyarse, elevarse y alentarse entre sí, no por un sentido del deber, sino por el respeto mutuo que trasciende todo lo demás. Ustedes se aman. Están en el mismo equipo: su equipo. Nadie más se acerca; son solo ustedes dos. Así que estén presentes el uno para el otro y nunca se echen fuera. Si no puedes confiar en que tu cónyuge te respaldará cuando estés abajo, ¿en quién puedes confiar?

11. **Ten mucho contacto físico**: La verdadera intimidad y la cercanía emocional genuina no son posibles sin contacto físico. Una vez que esto disminuye en un matrimonio, las parejas comienzan a separarse. La distancia física refleja la distancia emocional. Aumentar una aumentará la otra, y lo contrario también es cierto. Si no se tocan regularmente de manera amorosa y afectuosa, comenzarán a alejarse. Debes

crear períodos frecuentes y prolongados de contacto físico para reconectarte con tu cónyuge y mejorar tu matrimonio. Cosas pequeñas, como tomarse de las manos y abrazarse, son tan importantes como tener relaciones sexuales o besarse en la mejilla.

12. **Haz el esfuerzo**: Ninguna relación puede durar cuando uno o ambos dejan de esforzarse; el matrimonio no es diferente. El hecho de que estén legalmente vinculados no significa que puedan simplemente relajarse y mantener su vínculo sin hacer nada. Trabaja duro para que tu cónyuge se sienta especial y amado. Diviértanse juntos. No dejen que la pasión se apague. Salgan en citas. Sean espontáneos. Realiza cosas nuevas junto con tu pareja. La vida es corta y si están juntos es porque se aman. Abraza la vida con tu mejor amigo al lado. Diviértete.

Capítulo tres:

Lidiamos con la adicción a la pornografía

Este tema es un problema tan común en la era de la información, tan conocido por quienes tienen acceso a Internet, que le he dedicado un capítulo entero. La adicción a la pornografía es un tema particularmente difícil de tratar, tanto porque la naturaleza íntima y privada de la masturbación puede hacerlo algo demasiado vergonzoso para hablar, como porque muchas personas que la padecen luchan por admitir que tienen un problema, incluso ante sí mismos.

La pornografía y el cerebro

Para abordar este tema, primero tenemos que mirar los antecedentes que rodean lo que la pornografía le hace al cerebro de una persona y por qué puede ser tan perjudicial y difícil de tratar. Contrario a la creencia popular, tanto los hombres como las mujeres pueden sufrir una adicción a la pornografía, aunque es cierto que los hombres tienden a ser más propensos y vulnerables a ella. Esto se debe a las diferencias biológicas en la forma en que hombres y mujeres perciben y reaccionan al sexo y a los estímulos sexuales. En general, los hombres se sienten atraídos por los aspectos físicos de las mujeres y se centran en ellos. Esto resulta de la biología evolutiva; estamos programados para querer reproducirnos (o, al menos, para hacer las cosas que satisfacen nuestro impulso y nos hacen reproducirnos). Está en nuestro ADN, codificado en nosotros durante millones y millones de años de evolución. Sin embargo, existen marcadas diferencias biológicas en la forma en que los hombres y las mujeres se reproducen, y que influyen en nuestro comportamiento cuando se trata de sexo.

Primero, los hombres no tienen forma de garantizar que la descendencia sea suya (hablando solo en un contexto evolutivo, sin tener en cuenta la ciencia moderna, por supuesto). Esto contrasta con las mujeres, que tienen que llevar al bebé en su vientre nueve meses antes de darlo a luz. Ellas tienen total certeza parental; han transmitido con éxito sus genes. El resultado de esto es que para que los hombres se aseguren de transmitir sus genes, tienen que poner sus huevos en la mayor cantidad posible de canastas, por así decirlo. Están codificados genéticamente para querer diversificar, esparcir sus espermatozoides y así garantizar que al menos algunas mujeres lleven a sus hijos. Esto significa que son naturalmente propensos a querer acostarse con la mayor cantidad de mujeres posible. Se sienten atraídos por todas las cosas que les indican que una mujer es fértil, saludable y probablemente capaz de tener hijos; como las caderas anchas. Esto hace que la pornografía sea particularmente atractiva para los hombres. El aspecto visual dominante presiona todos sus botones evolutivos. Cosa que no es necesariamente cierta para las mujeres.

Como no tienen que preocuparse por la incertidumbre de transmitir sus genes, buscan hombres que les brinden los recursos que necesitan para cuidar a sus hijos y asegurarse del éxito reproductivo, es decir, hombres junto a quienes sus hijos sobrevivan y alcancen la edad adulta. Por lo tanto, las mujeres se sienten más atraídas por las cosas que indican una pareja adecuada; como la personalidad, la inteligencia y la capacidad de proporcionar recursos. Las mujeres se sienten menos atraídas por los cuerpos de los hombres y más por el papel que pueden desempeñar para ellas; por lo tanto, el sexo suele ser una atracción más emocional.

Dejando esto de lado por un minuto, debemos ver lo que el porno hace a nuestros cerebros. Para hacer esto, tenemos que pensar en el contexto de la tecnología moderna y cómo puede presentarnos circunstancias muy diferentes de las que hemos evolucionado para experimentar. Los hombres están programados para buscar variedad y novedad, para maximizar sus posibilidades de éxito reproductivo. Con la pornografía en línea, pueden ver a más mujeres en un contexto sexual de lo que sus antepasados habrían tenido la suerte de ver en toda su vida. El cerebro de los hombres es más propenso a ser secuestrado por la pornografía porque satisface temporalmente una picazón primitiva e indescifrable. La pornografía puede hacer explotar el centro de placer de sus cerebros con una satisfacción casi ilimitada y hará que una persona busque darse el gusto con la mayor frecuencia posible.

Una de las razones por las cuales el porno es tan adictivo se relaciona con la naturaleza biológica y química de nuestros cerebros. La pornografía y la masturbación estimulan la liberación de dopamina. Nos volvemos adictos al golpe químico que resulta de hacer estas cosas. Este golpe es muy corto pero intenso, no muy diferente de las drogas increíblemente adictivas como la cocaína o el crack. Esto puede hacer que las personas lo anhelen constantemente o lo tengan en su mente todo el tiempo, con un impulso tan abrumadoramente poderoso que se convierte en una compulsión que muchas personas no pueden resistir. Esto puede tener serias consecuencias para la vida sexual de una persona, especialmente si está casada. La pornografía ofrece un estímulo erótico muy directo, conveniente, visualmente satisfactorio, complaciente con la novedad, que el sexo en el mundo real no puede cumplir. Esto puede afectar un matrimonio o una relación debido a las diferencias en las expectativas sobre la vida sexual de una pareja. Por ejemplo, una esposa puede sentirse descuidada y olvidada porque su esposo recibe todos sus golpes químicos de la pornografía, en lugar de tener relaciones sexuales con ella. Para el usuario de pornografía, el sexo no es tan satisfactorio o gratificante como su adicción, por lo que pone a la pornografía antes que a su pareja.

Otro aspecto de la adicción a la pornografía que debe abordarse es que una persona puede volverse, de varias maneras, insensible al sexo. En primer lugar, la novedad, la variedad y la comodidad que ansían y esperan cumplir sexualmente no existe. En segundo lugar, debido a que se han acostumbrado a cierta cantidad, tipo y frecuencia de estimulación por la masturbación, algunas personas, especialmente los hombres, pueden tener dificultades para llegar al clímax en el sexo sin estimulación extra. Ninguno de estos efectos secundarios es particularmente propicio para una vida sexual mutuamente satisfactoria.

Superando la adicción a la pornografía

Para superar una adicción a la pornografía, es importante que la víctima entienda primero el equipo operativo de su propia mente. Pueden usar este conocimiento para deconstruir el proceso que ocurre en su mente cuando sienten la necesidad de ver porno. Lo primero que debe tenerse en cuenta es la naturaleza del problema; una persona con adicción a la pornografía no es el problema. No son personas defectuosas o peores que otras. Cualquier adicción o compulsión se perpetúa por sí misma; cuanto más se consiente, más arraigada se vuelve y más difícil es de alejar. Cada vez que una persona ve porno y se masturba para obtener la recompensa, más se condiciona para asociar el porno con la satisfacción sexual. Se desencadena una reacción química y se vuelven adictos al ataque químico en su cerebro. Esto hace que sea muy difícil desprogramarse de la adicción; su cerebro les dice que lo sigan haciendo porque tiene una necesidad que puede saciar con ello. La única forma de superarlo realmente es romper el círculo vicioso de refuerzo que se sostiene al permitirse un comportamiento adictivo y compulsivo, como ver porno y masturbarse. Romper este ciclo solo se puede hacer absteniéndose del deseo de ver porno.

Obviamente, esto es más fácil decirlo que hacerlo. Superar la adicción implica volver a cablear el cerebro a nivel químico y cognitivo.

Afortunadamente, debido a la neuroplasticidad de nuestra materia gris, podemos hacer esto cambiando nuestro comportamiento. La pornografía es una dependencia puramente psicológica, por lo que cuando se cambia el comportamiento, la dependencia se puede romper de manera relativamente simple. Los cambios reales y duraderos en el comportamiento tienen que venir del interior, del deseo de una persona de superarse a sí misma y tener un mayor control sobre sus impulsos biológicos, y de la fuerza de voluntad para ejercer una mayor cantidad de influencia sobre su propia vida cotidiana. Como es el caso al tratar de superar cualquier comportamiento adictivo, la recaída es inevitable. Si aceptar que tienes un problema es el primer paso para superarlo, entonces aceptar que recaerás en algún momento y adoptar una actitud de perdón hacia ti mismo debe ser el segundo.

Cada vez que nos enfrentamos a un deseo adictivo, debemos recordar que siempre tenemos la opción de elegir, incluso cuando parece que no. Tomamos la decisión de complacer un comportamiento, en lugar de simplemente resistirnos. Esta es la cruda verdad de cualquier adicción o dependencia psicológica. Sin embargo, cuando nuestros cerebros están conectados de cierta manera y esperamos conseguirlo, a menudo somos víctimas de él, no importa cuán sólida sea nuestra fuerza de voluntad. A pesar de esto, puede ser útil presionar mentalmente el botón de pausa cuando sientas la necesidad de ver pornografía y recuerda que vas a decidir qué es lo que estás a punto de hacer. ¿Decisión positiva o negativa? Depende de ti. Puedes no consentir ese comportamiento. Siempre tienes la oportunidad de decir que no.

La distracción es una parte fundamental para superar una adicción al porno. Cuando sientes la necesidad de verlo, resistir mientras permaneces quieto mental y físicamente se convierte en una batalla de pura fuerza de voluntad. También hay una especie de trampa 22[1], porque cuanto más intentas no pensar en algo, más difícil es no pensar en ello. Si te distraes a propósito, el deseo pronto se olvidará y la necesidad de consumir pornografía disminuirá. Algunas de las mejores formas de distracción son las que implican hacer algo activo mental o físicamente, para que ocupes tu mente y cuerpo y alejes tus pensamientos de la pornografía. Podrías hacer ejercicio, salir a correr o caminar, leer un libro o incluso sentarte y meditar en silencio, concentrándote en tu respiración para calmar tu mente. Tu objetivo

---

[1] La trampa 22 es una situación problemática para la cual, la única solución es negada por una circunstancia inherente al problema o por una regla. El concepto aparece en la novela homónima de Joseph Heller.

final es romper el control que la pornografía tiene sobre ti, evitando verla o masturbarte cuando lo desees. Si puedes ejercer moderación y autocontrol sobre tus acciones de forma regular y no ceder, el amarre sobre ti se aflojará y podrás recuperar el control sobre tu vida sexual. La pornografía es algo extremadamente poderoso, por lo que debe usarse de manera responsable para evitar que se convierta en un problema grave en tu vida y matrimonio.

Si el adicto a la pornografía es tu cónyuge, entonces tu trabajo es alentarlo y apoyarlo mientras haces todo lo que puedas para ser lo más comprensivo y no invasivo posible. Debes entender que esta situación es muy personal, y tratar demasiado de controlar los hábitos pornográficos de tu cónyuge (y, por lo tanto, la vida sexual) solo conducirá a que se ponga a la defensiva y a una mayor hostilidad entre los dos. Tu papel, tanto como el del que lo sufre, es comprender la naturaleza del problema. El uso de la pornografía tiene implicaciones morales para muchas personas, especialmente las personas religiosas, pero no tiene nada que ver con la calidad de su carácter o su compromiso con su matrimonio o familia. La persona no es el problema; su química cerebral es el problema, y no puede evitar la forma en que está programado y que Internet y la industria del porno exploten esto. En lugar de enloquecer, reaccionar de forma exagerada y gritar como si fuera lo peor del mundo, tratemos de obtener perspectiva.

Consejo rápido: Ponte en el lugar de tu cónyuge e intenta ayudarlo a través de la empatía; no lo juzgues. No hagas más o menos de lo que es. Es lo que es. Mucha gente mira porno y mucha gente se vuelve adicta a él. La forma en que percibimos y respondemos a nuestras adicciones desencadena nuestra reacción. Puede ser fácil para una persona que se cuestiona sus hábitos pornográficos sentirse amenazada y cerrarse por completo, así que haz tu mejor esfuerzo para ser lo más sensible que puedas. El enfoque incorrecto puede empeorar el problema, especialmente si desencadena la respuesta de lucha o huida de tu cónyuge. Sé amoroso, perdona y acepta. Recuerda intentar que el problema se aborde en equipo, pero no puedes controlar lo que hace nadie más que tú. Esto es algo que tu cónyuge tiene que hacer solo, así que trata de estar allí para él y proporciona un foro libre de juicios para que se exprese ante ti.

Capítulo cuatro:

Reconstruyendo la confianza perdida

De vuelta al capítulo

Como mencioné anteriormente, la confianza es la base de cualquier relación. Una vez que se ha perdido la confianza en un matrimonio, no hay forma de volver a ser como antes. En este capítulo examinaremos por qué la confianza es tan importante, cómo se rompe y cómo reconstruirla junto a tu matrimonio.

La naturaleza de la confianza

La confianza es un concepto muy extraño, pero es uno con el que todos estamos íntimamente familiarizados. Todo se deriva de nuestra naturaleza como seres humanos. Somos criaturas finitas y vulnerables. Podemos ser perjudicados o pueden aprovecharse, por lo que estamos más seguros cuando tenemos amigos y aliados;

87

cuando estamos en un grupo. Somos sociales y tribales por naturaleza, propensos a rodearnos de amigos y familiares que nos ayudan para que nos beneficiemos mutuamente y tengamos una mejor oportunidad de supervivencia. Este énfasis en el trabajo en equipo y la cooperación significa que tenemos que confiar en las personas con las que estamos. Si no confiamos, no podemos dejar que sean una parte verdadera de nuestras vidas, pero cuando confiamos, le damos a otros el poder de hacernos daño de alguna manera.

Es en el matrimonio donde este contexto de confianza tiene más peso. Cuando estamos casados con alguien, debemos estar más cerca de ese alguien que de cualquier otra persona que conozcamos. Se supone que es nuestro mejor amigo y compañero de vida, alguien que siempre nos respalda, alguien en quien siempre podemos confiar. Tiene el poder de elevarnos a alturas que no sabíamos que existían, o de derribarnos. Le damos la llave de nuestro corazón, y tenemos que confiar en que quiere decir lo que dice, que nos ama tanto como nosotros lo amamos y que no nos hará daño.

La verdadera confianza tiene que ganarse; no se puede otorgar libremente. Solo alguien muy ingenuo podría confiar completamente en un extraño que acababa de conocer. Tenemos que demostrar a los demás que somos personas buenas y confiables para que confíen en nosotros. Me gusta pensar en la confianza como la cuenta de ahorros que podría tener en un banco. Tenemos una de estas cuentas con cada persona que conocemos, y todos los que conocemos tienen una con nosotros. Cuando hacemos algo que muestra a una persona que puede confiar en nosotros, hacemos un depósito en este saldo. Si es un pequeño gesto, podría ser solo un pequeño depósito. Cuando acudimos en ayuda de alguien en un momento de necesidad, especialmente sin un beneficio directo para nosotros, estos depósitos pueden ser mucho mayores. Con el tiempo, estas cuentas crecen considerablemente, y las personas que conocemos llevan un saldo de confianza muy alto con nosotros. Cuando sucede algo que socava esa confianza de alguna manera, se realiza un retiro y el saldo disminuye; que sea un retiro grande o uno pequeño depende del contexto de la confianza que se está socavando.

Infidelidad y mentira

Cada relación y matrimonio experimentará pequeños retiros de confianza. Todos cometen errores y manejan mal las situaciones, pero la mayoría de las veces estos retiros son lo suficientemente pequeños e insignificantes como para que una vez que se aborde el problema y se expliquen las motivaciones, depositemos el monto retirado una vez más, tal vez incluso con un poco de interés. Sin embargo, hay algunas cosas que pueden hacer que la confianza en un matrimonio se rompa por completo, que se retire todo el saldo de una vez. Las dos causas más comunes de erosión de la confianza tienden a ir de la mano: la infidelidad y la mentira.

Aunque no todas las mentiras en un matrimonio son el resultado de la infidelidad, prácticamente todos los casos de infidelidad son seguidos por mentiras. Puede ser que alguien diga falsedades directas para cubrir sus huellas o simplemente mienta por omisión. Las parejas casadas suelen mentir entre sí sobre todo tipo de cosas, y siempre tienen consecuencias negativas para su matrimonio, de una forma u otra. Con la excepción de las mentiras blancas, mentir erosiona lenta e insidiosamente la confianza que se encuentra en el centro de la relación. Independientemente de si las mentiras están o no expuestas y reveladas, siempre tienen un efecto corrosivo y dañino en la relación. Cuando estas salen a la luz y una persona se da cuenta de que su cónyuge le ha estado mintiendo, trae consigo una gran cantidad de otros problemas. Si fue capaz de mentir sobre A, entonces, ¿habrá estado diciendo la verdad de la B a la Z? Una vez que comienza la mentira, aparecen muchos problemas. A menos que las motivaciones para mentir se expliquen, se disculpen y se responsabilicen, esto puede conducir a una pendiente resbaladiza, donde el que ha sufrido el engaño no sabe en dónde dibujar la línea para seguir confiando en su cónyuge. Cuando la mentira pasa desapercibida, es solo cuestión de tiempo para que la señalen. Una mentira que pasa desapercibida es como una mina sin explotar. Es solo cuestión de tiempo para que estalle.

Mentimos a nuestros cónyuges cuando tenemos algo que ocultar y porque creemos que perderemos algo al decir la verdad. Esto significa que una vez que se ha contado una mentira sobre algo significativo, tenemos que mentir una y otra vez para cubrir nuestras huellas y mantener oculta la mentira original. Tenemos que mantener una conciencia de qué es mentira y qué es verdad para evitar que se descubra nuestra mentira, lo cual es un ejercicio agotador. Como los mentirosos patológicos saben muy bien, llega un punto después de mentir lo suficiente, en el que ya no se pueden discernir los hechos de la ficción y las mentiras, simplemente se convierten en parte de lo que se piensa que es la verdad. Después de todo este esfuerzo, un solo desliz y toda la historia se puede desenredar de una sola vez, dejando la confianza destrozada y requiriendo mucha comunicación y honestidad para reconstruir.

Nada puede romper la confianza en un matrimonio como la infidelidad y la subsecuente mentira que generalmente conlleva. Ser fiel es una gran parte de cualquier relación monógama, y desviarse de su pareja para conectarse con alguien más puede terminar incluso con los matrimonios más fuertes de un golpe limpio. Es por eso que muchos de nosotros tratamos de ocultar nuestros errores cuando hemos sido infieles, aunque más mentiras solo empeoran el problema cuando lo mejor es aclararlo. Cuando un matrimonio ha tenido problemas con la mentira o la infidelidad, ha roto su confianza y se ha retirado su equilibrio, aún es posible reconstruirlo y salvarlo. Se necesita tiempo, paciencia, perdón y mucha comprensión, pero se puede hacer.

Reconstruyendo la confianza

Lo primero que hay que entender sobre la reconstrucción de la confianza es que, cuando ésta se viola gravemente en cualquier relación, no hay forma de volver a cómo eran las cosas antes. La dinámica ha cambiado para siempre. La vieja relación está muerta; hay que empezar desde cero. Si ustedes dos pueden hacer que las cosas funcionen, será en una nueva relación, como un fénix surgiendo de las cenizas. Aprender a confiar en alguien después de que te haya decepcionado es un viaje largo y difícil. Y es posible que nunca lo logres.

Si es posible o no reconstruir la confianza en tu matrimonio es una cuestión de contexto y de valores. Lo que constituye un factor decisivo para algunas personas es más un área gris para otras. Algunas personas ven la infidelidad como el último golpe de muerte o el último clavo en el ataúd, y no se permiten seguir con alguien que pudo traicionarlos tanto; otros harán casi cualquier cosa para que todo funcione de nuevo y así permanecer juntos. Mi opinión profesional es que el contexto y las circunstancias lo son todo. Si tu cónyuge te engañó una vez en una borrachera, lo asumió de inmediato, se avergüenza de sí mismo por decepcionarte y se dedica a hacer las cosas bien, eso es una cosa. Y es muy salvable. Sin embargo, si tu cónyuge está involucrado en un patrón de engaño y mentira, y no muestra intención de reconocer lo que ha hecho o comprometerse a mejorar, entonces se puede hacer un argumento muy persuasivo acerca de lo provechoso que sería divorciarse y dejarlo en el pasado. Ten en cuenta que estos son dos extremos; la mayoría de los casos en que la confianza se rompe gravemente no son tan blancos o negros, y contienen cantidades variables de mentiras, obstrucciones y evasión de la verdad. Al final del día, solo tú estás en condiciones de decidir si es mejor terminar tu matrimonio para siempre o comprometerte a intentarlo de nuevo.

El perpetrador reconstruye la confianza

Herir a las personas que amamos es solo otro aspecto desafortunado de ser humanos. Con mucha frecuencia, lastimamos a otros porque nos estamos lastimando a nosotros mismos y no sabemos cómo lidiar con ese dolor de una manera saludable. Así que atacamos, nos metemos en situaciones difíciles y terminamos lamentando amargamente nuestras acciones cuando nos damos cuenta de lo que hemos hecho. Si eres la razón por la que se ha roto la confianza en tu matrimonio y quieres saber qué necesitas hacer para recuperarla y restablecer una relación saludable con tu cónyuge, lo primero que debes hacer es perdonarte a ti mismo, no importa cuánto quieras odiarte y castigarte.

El perdón es el camino de la curación que todos podemos tomar en cualquier momento. Tu cónyuge tendrá que perdonarte a su tiempo, pero eso no es lo más importante. Para que te perdonen y vuelvan a confiar y respetarte nuevamente, primero debes comunicarte abierta y extensamente sobre lo que sucedió y por qué. Esto no puede suceder hasta que haya comenzado el proceso de curación, y el primer paso en ese largo camino es perdonarte y comprenderte a ti mismo. Todos cometemos errores. Nadie es perfecto. El verdadero amor propio proviene de sentirse avergonzado, culpable, enojado o asustado, y no resentirse por ello.

Tras esto, debes entablar un período de conversaciones abiertas con tu cónyuge sobre lo que sucedió y por qué se ha roto la confianza entre ustedes. Necesitan ser completamente honestos entre ustedes. Los dos deben trabajar en equipo para ver y abordar todas las razones por las que su matrimonio llegó a este estado y cómo van a trabajar en ellas a futuro. No es suficiente comprometerse a trabajar en los síntomas, debes alcanzar las causas subyacentes y comprender exactamente cuáles son los defectos de tu matrimonio para corregirlos y llevar a cabo un cambio duradero. Recuerda que la confianza debe ganarse, no darse libremente, y que en este caso específico es cuando más hay que luchar por obtenerla otra vez. Aunque, una vez que has roto la confianza de alguien de una manera tan catastrófica, tiene todo el derecho de no volver a creer en tus palabras nunca más. "Una vez es su culpa, dos veces, la mía": deberás demostrar que se puede confiar en ti y que estás comprometido a cambiar tanto tú y como tu matrimonio, deberás hacerlo una y otra vez para ayudar a tu cónyuge a confiar en ti, aunque sea un poco, después de todo lo que ha sucedido. Con toda probabilidad, le rompiste el corazón. Debes hacer depósitos y evitar retiros durante un período prolongado de tiempo para convencerlo realmente de que puede volver a darte el poder de romper su corazón.

Para demostrarle a tu cónyuge que puede volver a confiar en ti y que lo que sucedió fue un error que nunca se repetirá, es importante que seas completamente abierto y honesto con él. Debes ponerlo todo sobre la mesa, sin importar cuán difícil sea o cuántos problemas más puedan surgir. Le debes a él y a ti mismo decir toda la verdad, no importa cuán doloroso sea. No hace falta decir que, si has estado involucrado en una aventura, debes terminarla. El mejor momento fue justo antes de que comenzara; el segundo mejor momento es ahora. No solo debes terminar el asunto, sino que, si te comprometes a hacer que tu matrimonio funcione, debes cortar totalmente los lazos con la persona con la que has sido infiel. Eso significa eliminar su número y borrar todos los rastros de ella de tu vida, incluso de tus redes sociales. Mucha gente se siente aprensiva por hacer esto, particularmente porque les preocupa parecer groseros. Ni siquiera tengas en cuenta ser cortés para hacer lo que necesitas hacer para quedarte con tu cónyuge. Este no es el momento de preocuparse por ser grosero. Es momento de salvar tu matrimonio. Entonces, haz lo que necesites hacer y confía en que la otra persona encontrará su propio camino en la vida. Debes esperar y aceptar un período de total transparencia; si tu cónyuge solicita revisar tu teléfono y las redes sociales, deberás aceptar que este es el precio por romper su confianza, o rechazarlo y ser expulsado por tener algo que ocultar. El matrimonio es una experiencia muy íntima; compartimos partes sagradas de nosotros mismos con nuestro compañero. Perder un elemento de privacidad es el precio que tienes que pagar por romper la confianza de tu cónyuge.

También es importante decir lo que vas a hacer y luego hacerlo. Necesitas integridad ahora más que nunca si vas a hacer lo que puedas para ayudar a tu cónyuge a confiar en ti nuevamente. El resto depende de él.

La víctima reconstruye la confianza

Cuando has tenido la horrible experiencia de estar en el extremo receptor de un golpe devastador para tu matrimonio, es tentador empacar y terminar con todo. Nadie lo discutirá si decides que eso es lo mejor. Aunque no todo está perdido. Aún hay esperanza para tu matrimonio. Todavía puedes ser feliz con quien te casaste. Puedes reconstruir la confianza que has perdido y cambiar las cosas. No tiene que terminar a menos que tú decidas terminarlo. Si ambos están dispuestos a hacerlo funcionar, no hay obstáculos que los detengan.

Una vez que tomaste la decisión de superar esta importante violación de la confianza, habrá mucho trabajo difícil por delante y deberás comenzar a hacerlo. Será un proceso arduo, pero con perseverancia, llegarás allí. He visto a todo tipo de parejas casadas en todo tipo de situaciones horribles reponerse y superar las probabilidades porque, al final del día, la actitud es lo más importante. No son las primeras personas en tener los problemas que enfrentan como pareja, y no serán los primeros en superarlos. Hay parejas que se han enfrentado a cosas mucho, mucho peores y salen de ellas más fuertes y mejores. Puedo asegurarte esto: ya lo he presenciado. Si tanto tú como tu cónyuge están dedicados y comprometidos a hacer que las cosas funcionen, entonces las circunstancias del pasado no importan, y no decidirán si terminan siendo capaces de abrir nuevos caminos juntos. El único factor decisivo es que ustedes dos realmente quieran que las cosas funcionen.

Lo primero que debes saber cuando se trata de recuperar la confianza es que la falta de confianza no es el problema principal que enfrenta tu matrimonio, más bien es un problema secundario. El problema principal es lo que rompió esa confianza y el hecho de que la confianza rota resultara de la violación de uno de los principios de su relación. Los problemas de confianza son el resultado de algo que ya sucedió y que dañó esa confianza, y aquí es donde debes centrar tu atención primero, en lugar de centrarte en la cuestión de la confianza. La confianza regresará como resultado de garantizar que tú y tu cónyuge sean claros y estén dedicados a seguir los principios básicos de su relación y su matrimonio.

Cualquier relación se basa en ciertos principios que forman el núcleo del vínculo entre los dos. Cuáles son estos principios y cómo se abordan es lo que caracteriza cada relación, desde matrimonios grandiosos, amorosos, saludables y duraderos, hasta pesadillas abusivas. Los principios también son importantes en el contexto más amplio de tu vida, ya que se cumplen para determinar los resultados de ella. Si van a reconstruir la confianza que han perdido y van a aprender a hacer que las cosas funcionen, entonces deben trabajar en cómo perciben y procesan los principios de su relación. Sin embargo, antes de hacer esto, es esencial comprender la importancia de la positividad. La actitud con la que abordes toda la tarea de restablecer la confianza y reparar tu matrimonio, determinará qué tan exitoso eres. Si intentas mantener una actitud positiva y un estado mental optimista, es muy probable que triunfes. Sin embargo, si te concentras en los aspectos negativos y no crees realmente que las cosas puedan cambiar para mejor entre ustedes, entonces quedarás atrapado en una situación difícil que se volverá tu realidad. Tu mentalidad importa. Tu forma de pensar determinará tus resultados.

Una vez que hayas adoptado la actitud correcta, debes examinar los principios y valores de tu matrimonio. Estas son las "razones" detrás de toda la relación con tu cónyuge; el sentido compartido de propósito que ambos poseen. Mucha gente no los examina nunca durante el curso de su matrimonio. A veces, las personas terminan olvidando por qué se juntaron en primer lugar. Naturalmente, los principios y valores varían de un matrimonio a otro, por lo que tendrás que ver las cosas que hacen que tu relación sea única y determinar dónde convergen tú y tu pareja.

Algunos de los valores más importantes en cualquier relación son:

1. **Humildad**: Cuando no pones tus propios deseos y necesidades por encima de los de

otras personas porque tienes una visión humilde de tu propia importancia y te das cuenta de que no eres mejor que nadie solo por ser tú. Representa la apertura y la voluntad de cambiar, y es esencial para que cualquier matrimonio funcione. Con demasiada frecuencia, creemos que estamos 100% en lo cierto y, como resultado, nos tratamos horriblemente. Es importante dejar a un lado el ego y reconocer que quién tiene razón, o no, no es importante; trabajar juntos lo es.

2. **Perdón**: Esta es la capacidad de dejar el pasado en el pasado, renunciar a cualquier exigencia de que lo que sucedió antes sea diferente a cómo se ha desarrollado hasta ahora, y dejar ir el dolor y el resentimiento. Al final del día, en la vida pasan cosas. Todos cometen errores. Si no pudiéramos perdonar, viviríamos nuestras vidas miserables y guardando rencor contra las personas que creemos que nos

han perjudicado, así como contra nosotros mismos.

3. **Respeto**: Ser una persona respetuosa es una parte integral de permanecer felizmente casado y hacer que tu matrimonio sea un éxito. Sin embargo, no es solo de tratar a tu cónyuge con respeto. La forma en que tratas a los que te rodean y a las personas con las que interactúas a diario, especialmente las personas que no pueden hacer nada por ti, dice mucho sobre quién eres. No se trata solo de respetar a los que te respetan, o de respetar a las personas solo cuando te tratan con respeto. La verdadera medida del carácter de una persona es si pueden ser respetuosos con todos, independientemente de si es o no recíproco.

4. **Amor**: Esto puede parecer una inclusión obvia, pero muchas personas parecen asumir que el amor es algo que está ahí naturalmente, como si fuera una fuerza de

la naturaleza. Esto puede ser cierto, al menos en parte, pero para amar realmente tienes que tomar decisiones. Estar casado te ofrece muchas oportunidades diferentes para escoger y tomar decisiones. Siempre puedes elegir amar, y tienes que tomar la decisión de amar a tu cónyuge todos los días de tu vida, pase lo que pase. Ustedes dos deben elegir amarse, mantenerse unidos incluso cuando las cosas se pongan difíciles.

5. **Compasión y bondad**: Estar casado significa que eres el mejor amigo y compañero de vida de alguien. Debes esforzarte al máximo por cultivar todo el amor y la compasión que puedas por ti y por tu cónyuge, por el bien de ambos. Estas dos cosas van de la mano y son como un resorte infinito dentro de ti. Cuanto más abraces estos valores y los hagas parte de tu vida y de tu matrimonio, más sentirá sus efectos tu vida y en tu propio estado mental. Mientras más amabilidad y

compasión muestres a tu cónyuge, más recibirás de él.

6. **Trabajo**: Cuando todo está dicho y hecho, los matrimonios requieren mucho, mucho trabajo. La trayectoria predeterminada de cualquier relación está inactiva. Para elevar la trayectoria de tu matrimonio y seguir adelante y hacia arriba, debes esforzarte. Necesitas intentarlo y debes querer tener éxito en el esfuerzo que requiere el matrimonio.

Si tú y tu cónyuge aplican los principios correctos a su matrimonio y se comprometen a resolver problemas juntos, pueden reconstruir la confianza rota con el tiempo. Aunque puede ser difícil de creer que, después de una violación significativa de la confianza, con suficiente trabajo puedas conseguir un matrimonio más fuerte y un mejor entendimiento mutuo del que tenían antes. Pueden estar más felices, más saludables y más satisfechos de lo que alguna vez imaginaron que sería posible al mantenerse unidos y salir adelante, en especial cuando todo deparaba un fracaso. Puedes usar la confianza rota como el catalizador que impulsa tu matrimonio a nuevas alturas, para sanarlo, fortalecerlo y evitar que tales eventos vuelvan a suceder.

Un punto que creo que vale la pena aclarar aquí es que no importa cuán tentador pueda parecer, no debes buscar venganza de tu cónyuge por lo que te haya hecho. He tenido muchos clientes a lo largo de los años que expresaron su deseo de "igualar el puntaje" con su cónyuge, particularmente en casos de infidelidad. La mayoría de las personas no cumplen con estos impulsos, pero aquellos que lo hacen, lo lamentan inevitablemente. Para que se produzca la verdadera curación y el perdón, la pizarra debe limpiarse. El pasado es el pasado. Lo que está hecho, está hecho. Tu cónyuge no puede recuperar nada de eso, aunque desearía poder hacerlo. Si van a tener alguna posibilidad de hacer que las cosas funcionen entre ustedes, entonces deben dejar la infidelidad, la mentira, el resentimiento y los mezquinos deseos de venganza en el pasado. Agregar algo de eso solo terminará empeorando el problema y enturbiando lo que podría ser la única oportunidad que tienen de reconstruir la confianza que es tan vital para su matrimonio. No lo tiren todo por una venganza sin sentido, solo terminarán arrepintiéndose.

Quizá lo mejor que puedes hacer para sanar las heridas es hablar de ello. Exprésate. Comparte lo que sucedió con las personas a tu alrededor, las personas en las que confías. Habla con tus amigos y familiares, o con un terapeuta si necesitas a alguien imparcial y profesional. Hablar nos ayuda a entender lo que pensamos y cómo nos sentimos sobre las cosas que nos pasan. Nos ayuda a entender los problemas que enfrentamos y nos hace sentir más en control de la situación. Sin embargo, hay algo que debes tener en cuenta cuando se trata de hablar con la gente sobre lo que te ha sucedido. Cuando estamos heridos y ofendidos, tendemos a crear una historia que contamos a las personas para explicar lo que sucedió. Si bien esto es natural y beneficioso para ayudarlos a recuperarse, ten cuidado de no hacerte pasar por la víctima. Incluso si eres totalmente irreprensible y eres víctima de las circunstancias y de otras personas, eso te impide dejar ir. Cuando nos sentimos como la víctima, nos sentimos resentidos y mal hechos. Esto puede evitar que sigas adelante porque estás demasiado obsesionado con ser la víctima indefensa para permitirte dejar ir el pasado.

Consejo rápido: Debes tomarte el tiempo para comunicarte abiertamente con tu cónyuge. No solo sobre la violación de la confianza, aunque es probable que sientas la necesidad de hablar de ello extensamente, sino también en términos de, sencillamente, disfrutar de la compañía del otro. Para que tenga lugar la curación, debes aprender a verlo como algo más que la persona que rompió tu confianza. Tu antigua relación se ha ido, así que tómate el tiempo para forjar una nueva con él. Diviértete volviendo a conocerlo. Ve a citas, tal como lo hiciste cuando lo conociste, y amplía y profundiza la comprensión mutua a través de conversaciones, tiempo y experiencias compartidas.

Capítulo cinco:

Dormitorios muertos

Cuando somos jóvenes e idealistas, tendemos a imaginar que el sexo no será un problema cuando nos casemos. Es fácil suponer que cuando estás casado con alguien, el sexo es tan frecuente y satisfactorio como desees. Si bien esto puede ser cierto para algunas personas afortunadas, para muchas otras es una mala broma. Millones de personas están atrapadas en matrimonios sin sexo donde, a pesar de estar casados, tienen menos acción de la que tendrían si estuvieran solteros. Este escenario de pesadilla es demasiado común, horrible y difícil de superar, pero se puede. En este capítulo revisaremos cómo.

Sexo y relaciones

El sexo es una parte de vital importancia en cualquier relación. De hecho, es de vital importancia para el ser humano. Es uno de nuestros impulsos más básicos y potentes, solo superado por nuestros deseos de comer, beber y dormir. Hay una buena razón para esto: somos el resultado de millones y millones de años de evolución en los que los genes se han transmitido de generación en generación a través de la reproducción sexual. Si no quisiéramos tener sexo tanto como lo hacemos, no estaríamos aquí en primer lugar. Estamos programados para quererlo, y mucho. Cuando no estamos satisfechos sexualmente, no solo lo anhelamos, lo necesitamos; de manera similar a cuando no hemos comido durante unos días, no solo tenemos hambre, estamos famélicos. El sexo nos impulsa y nos controla mucho más de lo que tenemos en cuenta. Elegimos parejas con las que tenemos relaciones sexuales y nos volvemos muy territoriales sobre ellas. Estoy segura de que todos los que lean o escuchen este libro conocen los celos agudos que podemos sentir simplemente al imaginarnos que nuestra pareja sexual está con otra persona en lugar de nosotros. Si bien las relaciones varían en estilo y tipo en todo el mundo, la mayoría de las personas en el occidente tienden a buscar y mantener relaciones monógamas, que consisten en dos personas que son sexualmente exclusivas. Si bien elegir un tipo diferente de relación está lejos de ser poco común, el valor predeterminado para nuestra cultura occidental es que nos emparejemos, establezcamos y nos volvamos exclusivos.

Por lo tanto, las relaciones y la satisfacción sexual están fundamentalmente vinculadas. Confiamos en nuestra pareja para satisfacernos sexualmente. Con el matrimonio, este vínculo se consolida aún más. Incluso cuando estás saliendo, diferentes libidos pueden hacer que las parejas rompan. No es tan fácil regresar una vez que te casas. Estás encerrado, relativamente hablando, y si el sexo se seca, no es tan simple como levantarte y marcharte. Además, el matrimonio en sí mismo parece ser el catalizador para que la vida sexual de algunas parejas se desvanezca. ¿Por qué las parejas solteras no parecen tener tantos problemas y las casadas sufren tanto?

La cuestión es que las malas vidas sexuales no se limitan solo a los matrimonios. Hay muchas parejas solteras que tienen menos (¡o más!) relaciones sexuales de las que preferirían una o más partes. En general, las personas con malas relaciones sexuales que viven como parejas solteras no tienden a casarse, aunque cuando lo hacen es obvio que el matrimonio no es la razón de su falta de sexo. Sin embargo, el matrimonio en sí mismo puede hacer que las cosas se deterioren en el dormitorio, y hay varias razones para esto. Por un lado, las parejas casadas se conocen mucho más tiempo que las parejas solteras. Esto en sí mismo puede ser un problema para la vida sexual de cualquier pareja, porque el tiempo genera familiaridad y rutina, y estas cosas son lo opuesto a la novedad, lo cual, como ya hemos comentado, es particularmente excitante para los hombres; el sexo puede volverse aburrido, predecible y rancio, simplemente porque el curso del tiempo les quita novedad a las cosas. El sexo, por su propia naturaleza, es una bestia hormonal, emocionante y espontánea. Es oportunista y palpitante en la naturaleza. Cuando puedes configurar tu reloj según la rutina sexual de tu matrimonio, no es de extrañar que las cosas empiecen a parecer aburridas. Otra causa común de dormitorios muertos en el matrimonio son las diferencias en la libido de cada cónyuge. Al contrario de lo que algunos puedan pensar, las libidos no son una descripción rígida e inmutable del apetito natural de una persona por el sexo. Tiene una especie de rango que predetermina el deseo sexual de una persona, pero puede aumentar o disminuir según las circunstancias y la mentalidad del individuo a lo largo de su vida.

La libido de una persona puede verse influenciada por una multitud de factores diferentes en cualquier momento de su vida. El estrés de las carreras o la presión financiera puede hacer muy difícil pensar o enfocarse en el sexo, o incluso desearlo en primer lugar. De la misma manera, los problemas de confianza en el cuerpo, la dependencia de sustancias, las limitaciones de tiempo reales o percibidos, y el sentirse obligado a participar en el sexo, pueden alejar a las personas del mismo y crear un dormitorio muerto. Quizás el factor más importante para las parejas casadas, en cuanto a cantidad y calidad del sexo, sea tener hijos. Tener hijos es un cambio de juego de muchas maneras, pero puede tener un impacto desmesurado en la salud de la vida sexual de una pareja casada. Tener hijos puede golpear especialmente a las mujeres debido al cambio en las hormonas que experimentan durante el embarazo y después del parto. No es raro que las mujeres pierdan el interés en el sexo durante un corto período de tiempo después de tener un hijo, especialmente cuando se tiene en cuenta el estrés y la presión de tener que cuidar a un recién nacido. Tener hijos también puede interferir en la vida sexual de una pareja de una manera práctica, ya que muchas no están dispuestas a cerrar la puerta de su habitación en caso de que sus hijos quieran entrar y evitan hacer demasiado ruido o dejarse llevar por el momento, todo para que sus hijos no escuchen demasiado.

En algunos matrimonios, otro factor que contribuye a la falta de una vida sexual sana y satisfactoria es la cuestión del sexo como arma o como recompensa. Cuando se retira el sexo para castigar o se ofrece para persuadir, cambia de ser una actividad recreativa y estimulante, mutuamente gratificante, a ser una mercancía utilizada como moneda de cambio o retenida para frenar el comportamiento no deseado. Este tipo de dinámica sexual es muy poco saludable y genera resentimiento en un matrimonio. Tratar el sexo como una mercancía cambia el aspecto fundamental de la relación, de una de unión con trabajo en equipo a una de conflicto y competencia. Empaña lo que debería ser un acto sagrado y especial de intimidad, transformándolo en un medio para llegar a un fin, en lugar de un fin en sí mismo.

Los dormitorios muertos pueden ser desastrosos para un matrimonio. No solo sufre la vida sexual de nuestros cónyuges, sino que cuando hay una falta de sexo se produce una falta de intimidad, y no solo en el dormitorio. Sin sexo, las parejas casadas se separan. Se vuelven menos cercanos física y emocionalmente, e incluso pueden comenzar a parecerse más a compañeros de casa que a una pareja romántica. Los abrazos se detienen. Cuando dejan de tomarse de las manos y besarse en la mejilla, las cosas pueden ir cuesta abajo muy rápidamente. Los dormitorios muertos alimentan un círculo vicioso donde la falta de intimidad y conexión que resulta de la ausencia de sexo, hace que sea muy difícil para una pareja reconectarse y mejorar su vida amorosa. Una vez que el resentimiento y la culpa se establecen, aparece una grieta que puede separar aún más a una pareja y llevarla más cerca del divorcio.

Restaurando la intimidad en el matrimonio

Resucitar un dormitorio muerto no es una tarea fácil, y el método más efectivo depende en gran medida de los problemas de cada matrimonio. Uno de los mayores problemas que causan y perpetúan los dormitorios muertos es que el sexo se convierte en un gran problema. Se convierte en el elefante en la habitación, un punto focal y un área clave de conflicto con mucha gente alrededor. Esto puede llevar a que todo empeore, porque ambas partes saben que es un gran problema y la ansiedad por el rendimiento comienza a surgir.

El sexo debe ser una actividad mutuamente agradable que los acerque a ti y a tu cónyuge en el matrimonio, y que sea compartido y apreciado entre ustedes. Un dormitorio muerto no sugiere realmente el estado de la vida sexual con tu pareja, sino que señala el síntoma de profundos problemas maritales. Recuperar la frecuencia del sexo implica abordar primero estos problemas de fondo y resolverlos antes de hablar del sexo en sí. Muchas veces, los dormitorios muertos aparecen por problemas de comunicación. Si puedes trabajar para mejorar esto mediante conversaciones abiertas, honestas y pacientes, tanto en general como sobre el tema de tu vida sexual, entonces las cosas deberían mejorar. Ordena primero los puntos álgidos y, con la disminución del conflicto, debería mejorar la intimidad. Trabaja en buscar por qué se ha perdido la intimidad y realiza un seguimiento de la cantidad de sexo que tienes para evaluar objetivamente el estado de tu vida sexual y tener las conversaciones difíciles y necesarias para rectificar tus problemas.

También debes trabajar para crear un deseo mutuo de sexo. Puede ser fácil clasificarte en una dicotomía de alta y baja libido y luego culpar a tu cónyuge por sus diferencias en las expectativas de sexo, pero las cosas rara vez son tan simples como eso. Tu libido puede influir en la frecuencia con la que te excitas y deseas tener relaciones sexuales sin estímulos previos, pero no inhibe que te excites y desees tener relaciones sexuales después de que se haya iniciado dicho estímulo. Si, por ejemplo, tienes una pareja que tiene una libido baja y rara vez inicia el sexo; no quiere decir que no disfruta o que no le gustaría tener sexo una vez que hayas iniciado las cosas, ¡solo significa que ellos no van a empezar! Es necesario que haya una discusión franca y abierta sobre su vida sexual como pareja, incluidas las expectativas que cada uno de ustedes tiene sobre cómo debería ser su vida sexual. El matrimonio tiene que ver con el compromiso, y necesitan poder encontrarse en el medio. Tal vez uno de ustedes podría tener relaciones sexuales con más frecuencia de lo que desea, y el otro podría tenerlas con una frecuencia un poco menor a la que desea. El resultado es que ninguno de ustedes "gana" o "pierde"; ustedes trabajan juntos para llegar a una solución que funcione para ambos.

Si la baja libido de tu pareja, o la tuya, es un problema duradero, es aconsejable analizar cuáles pueden ser las causas subyacentes de este estado. Tal vez sea una cuestión de autoestima o mala imagen de uno mismo, o la toma de antidepresivos, o el equipaje emocional que no se ha tratado adecuadamente. Cualquiera que sea el problema subyacente, resolverlo puede ayudar a mejorar la libido y la vida sexual de tu matrimonio.

Crear deseo sexual también implica trabajar más duro para construir la atmósfera y la tensión que lo rodea. En lugar de nacer de un sentido de expectativa, rutina o deber, trabaja para que el sexo se vuelva, de nuevo, una actividad divertida. ¡Devuélvele la emoción! Puedes subir la temperatura de muchas maneras, si usas un poco de imaginación. Intenta cultivar una atmósfera de emoción y novedad en torno a tu vida sexual probando cosas nuevas y excitantes. El sexo para los casados es mucho más que el misionero bajo las sábanas, con las luces apagadas, durante apenas cinco minutos.

Consejo rápido: La mejor manera de crear deseo sexual es buscar una mejora en la intimidad de tu matrimonio, pero sin expectativas. Toma la mano de tu cónyuge, tengan citas, abrázalo desde atrás mientras lavan la ropa. Haz todas las pequeñas cosas amorosas que lo hacen sentir especial, pero por el simple hecho de hacerlo, no solo para conseguir sexo. Cambia tu relación a través de gestos agradables para demostrar amor y aprecio, el sexo vendrá después.

Capítulo seis:

Nos encargamos del abuso emocional

Aunque sabemos que cualquier tipo de abuso, en cualquier contexto, es horrible e incorrecto, en este libro nos centraremos en el abuso emocional en los matrimonios, en lugar del abuso físico. Lo físico suele ser más obvio, mientras que el abuso emocional es mucho más sutil e insidioso; a veces ninguna de las partes es consciente de que está ocurriendo. En este capítulo te enseñaré cómo manejar cualquier abuso emocional que puedas enfrentar en tu matrimonio.

¿Qué es el abuso emocional?

El abuso emocional a veces se conoce como abuso psicológico. Es una especie de término general que se utiliza para describir gran variedad de comportamientos y patrones de conducta repetidos que tienen un grave efecto negativo en la salud mental y en la sensación de bienestar de una persona. Si bien casi todos somos conscientes de lo que es el abuso físico debido a su visibilidad y su naturaleza obvia y dramática, el abuso emocional puede pasar desapercibido y caer en un área gris a juicio de las personas, donde no está claro el panorama más amplio que constituye el abuso de ciertos patrones de comportamiento únicos, negativos y tóxicos.

Hay una serie de diversos elementos que conforman el abuso emocional. Algunos de estos son:

1. **Intimidación y amenazas** - Esto se refiere a cualquier comportamiento que tenga la intención de manipularte o presionarte para que hagas lo que alguien quiere. Pueden ser desde pequeños actos como gritar (abuso verbal) o actuar agresivamente, hasta romper cosas y amenazar con lastimarte de alguna manera.

2. **Socavar el autoestima** - Este es el acto de erosionar tu posición o hacerte sentir pequeño. Incluye cosas como descartar tus opiniones, estar constantemente en desacuerdo y hacer que te veas mal o estúpido frente a los demás.

3. **Confundir** - Ocurre cuando alguien intenta hacerte dudar de tu propia opinión o de tu recuerdo de eventos pasados. Pueden estimular, hurgar, mentir abiertamente o tratar de decirte que estás exagerando, que eres demasiado sensible o que recuerdas algo de manera equivocada.

4. **Controlar** - Una persona intenta decirte lo que puedes y no puedes vestir, con quién puedes o no pasar el rato, lo que comes, lo que ves en la televisión y lo que haces con tu vida, todo cuenta cuando intentan controlarte. Los abusadores emocionales buscan ordenar sus mundos manteniendo a las personas en sus vidas con una correa corta y bajo su control.

5. **Abuso económico** - Retener dinero, evitar que consigas un trabajo o excluirte de tener tus propias finanzas, se considera abuso económico. Es otra forma de control, al depender de tu abusador para obtener apoyo financiero.

6. **Hacer sentir culpa** - Los abusadores emocionales usan esta táctica para motivar a otros a hacer lo que quieren, normalmente los hacen sentir que les deben el favor de alguna manera o que estarían equivocados al negarse.

7. **Criticar de forma excesiva** - Se vuelve especialmente relevante cuando es parte de un patrón repetitivo que se utiliza para reducir tu autoestima o autovaloración y tu sentido de propósito.

Es importante señalar que puede que una persona que está cometiendo abuso emocional ni siquiera sea consciente de que lo que está haciendo. Algunas personas carecen de la autoconciencia para dar un paso atrás y mirar cómo se comportaron en un contexto específico; por lo tanto, no están capacitados para emitir un juicio racional sobre lo que han hecho y por qué. Los abusadores suelen acostumbrarse a tratar a las personas a su alrededor de esa manera, porque logran salirse con la suya mediante el uso de técnicas de abuso emocional. Aunque nadie merece ser abusado, es algo terriblemente común. Puede ser perpetrado por cualquier persona y recibido por cualquier persona, independientemente de su rol social. Quienes abusan emocionalmente de los demás lo hacen por todo tipo de razones, la mayoría de las cuales tienen que ver con tratar de manipular y controlar, así como con sentirse mejor consigo mismo al despreciar a otras personas. Esta última razón es normalmente un franqueo oportunista y, a menudo, poco velado por su propia importancia y valor, lo que hace que las personas abusivas se sientan un poco mejor acerca de su propia imagen, con la que están seriamente infelices. Piénsalo como alguien que se está ahogando y trepa sobre alguien más para mantenerse a flote y poder respirar, con lo que empuja al otro bajo el agua.

El abuso emocional se puede volver abuso físico si no se controla. Cuando se cansan del abuso emocional, algunas víctimas que comienzan a enfrentarse a sus abusadores, pueden verse atacadas o agredidas en un intento final de dominarlas y ejercer control. El abuso emocional tiene una alta correlación con la violencia doméstica y el abuso físico, por lo que es vital que cualquiera que lo padezca busque ayuda para enfrentar el problema.

Lidiando con el abuso emocional

Aunque hay algunos que pueden no estar de acuerdo, según mi experiencia, la mayoría de los abusadores emocionales no son malos de corazón, aunque cuando se trata de abuso físico se hace más difícil poner excusas. Hay muchas personas por ahí que nunca aprendieron la forma correcta de hablar con los demás o que no reconocen las consecuencias de sus palabras más allá de su propio interés. Independientemente de esto, la seguridad siempre debe ser la principal preocupación cuando se trata de manejar el abuso emocional. Está bien defenderse, hablar y salir de la situación en la que te encuentras. Tienes derecho a que te traten con respeto. Te mereces algo mejor que vivir bajo el pulgar de otra persona, pero sé inteligente, protégete y asegúrate de salir por completo de esa situación. Tienes que ser valiente y ponerte en primer lugar para evitar que las personas se aprovechen de ti.

Hay dos enfoques principales para manejar el abuso emocional. Si el abuso no es particularmente malo, podría romperse mediante el uso de estrategias de comunicación para tratar de mostrar el efecto que sus acciones y palabras están teniendo en ti. Sentarlo y tener una conversación difícil pero abierta y honesta sobre las cosas tal como las ves, podría ser suficiente para abrir los ojos de alguien y que viese la verdadera naturaleza de su comportamiento. Sin embargo, ten en cuenta que hacer esto puede poner a las personas a la defensiva y agresivas, por lo que es mejor hacerlo en un lugar relativamente público. Otra estrategia que puede ser efectiva es identificar el abuso emocional, verificarlo y luego aceptarlo. Puedes practicar este método cuando estés recibiendo el abuso emocional y luego hacérselo notar a tu abusador al preguntarle por qué dijo o hizo algo. Independientemente de si su respuesta es desviarse o estar a la defensiva, puedes decirle cómo te hizo sentir lo que dijo o hizo y preguntarle si su intención era esa. Acepta la respuesta que sea y trata de llegar a él abriéndole los ojos momentáneamente en el mismo lugar en el que acaba de realizar algo negativo o tóxico contra ti. Así puedes obtener comprensión de sus motivaciones y la revelación sobre su verdadero carácter y autoconciencia. Hacerlo puede ayudarte a frenar el comportamiento de una persona abusiva, al mostrarle que comprendes por qué está haciendo algo y hacerle saber que te está haciendo daño; también puede darte luz verde para salir de su vida y hacer tu propio camino en tus propios términos. Es un enfoque más lento, pero puede ser más efectivo para desactivar a una persona y ayudarla, poco a poco, a cambiar sus formas, en lugar de forzar una intervención al hablar abierta y honestamente al respecto.

Otro método es algo conocido como "piedra gris". Esta técnica esencialmente implica frenar el comportamiento abusivo al no mostrar la respuesta emocional que busca el abusador. Es particularmente efectivo dentro del contexto del abuso verbal y las críticas, donde tienes control total sobre cómo respondes. Si permaneces tan neutral, tranquilo y alejado de la situación como sea posible, sin provocarlo, eventualmente comenzará a aburrirse de abusar de ti emocionalmente, ya que no existe el efecto satisfactorio de verte enojado ni de vete reaccionar en modo alguno. Cuando no le das a un abusador la respuesta que está buscando, estás privándolo de su motivación para hacerlo.

Capítulo siete:

Salvemos tu matrimonio

En esta etapa del libro, es hora de juntar todo y poner manos a la obra para abordar la última pregunta: ¿cómo salvar tu matrimonio?

Cómo prevenir el divorcio y salvar tu matrimonio

Prácticamente todos llegamos a un punto en nuestro matrimonio en donde tenemos que tomar una decisión difícil. ¿Renunciamos a todo y nos damos por vencido, o nos arrodillamos y salvamos nuestro matrimonio? Si tu decisión es la primera, el próximo capítulo tratará sobre cómo llevarlo a cabo. Yo misma soy una gran defensora de preservar los matrimonios, salvar las relaciones clave en la vida y enriquecer los lazos que tienen con las personas para seguir adelante y ayudarse mutuamente a un futuro mejor. Creo que tenemos que trabajar juntos, como equipo, para aprender y crecer de la manera correcta. Nadie es perfecto y todos cometemos errores. Cada matrimonio tiene margen de mejora, y tienes que trabajar duro para realizarte y ser feliz con tu cónyuge, y lo mismo va para él. Yo digo que se queden juntos, pero esto sólo es una opción si es para que ambos estén felices y satisfechos. No se queden juntos si el resultado va a ser llevar una vida miserable.

Nunca es demasiado tarde para salvar tu matrimonio. Como ya mencioné en este libro, he visto a muchas parejas que han pasado por todo tipo de desastres en el transcurso de su matrimonio, que se han hecho un mundo de daño, han tenido sentimientos extremadamente ácidos y mucho resentimiento del uno contra el otro; estas mismas parejas logran salir de sus problemas como personas felices, bien adaptadas, iluminadas y amorosas, conscientes de las dificultades de estar casados y de ser humanos, y se han decidido a permanecer juntos y enfrentar la vida así, en lugar de ir por caminos separados. Salvar tu matrimonio es una increíble experiencia de educación y humildad. No hay nada parecido en cuanto a mover perspectivas y cambiar las formas de sentir y pensar. Logras darte cuenta de la dificultad que tanto tú como tu cónyuge están enfrentando en la vida y, a través de la comunicación, vuelves a comprenderte, aceptarte y amarte.

Salvar tu matrimonio es un proceso relativamente directo, aunque no por eso es fácil. Se trata de hacer una evaluación honesta de la dirección, la velocidad y el carácter de tu matrimonio, y luego hacer un esfuerzo junto con tu cónyuge para mejorar y elevar su relación. Ambos deben resolver qué están haciendo bien como pareja y dónde se equivocan, y luego tratar de hacer más de lo que funciona y menos de lo que no. La actitud, la mentalidad y las suposiciones con las que te acercas a tu matrimonio determinarán si lo conviertes en una parte satisfactoria y plena de tu vida o si permites que sea agotador y tóxico. La forma en que manejas los problemas hace una diferencia más grande en tu matrimonio que la naturaleza de los problemas mismos.

Todo el mundo es único, por lo que siempre hay diferencias en las relaciones, sin importar cuán similar a alguien más puedas sentirte. Nuestras diferencias son buenas: son esenciales e interesantes, y nos dicen quiénes somos como personas. Y también, las diferencias crean conflictos. La forma en que manejas esos conflictos es la medida en que creas o destruyes un matrimonio. Cada relación experimenta conflictos de vez en cuando. ¿Cómo los abordan? ¿Gritan y se dicen comentarios hirientes? ¿O los tratan con calma, comprensión y diálogos pacientes? La elección es tuya.

Los matrimonios tienen una cierta estructura parecida a un tornado, que a menudo es el resultado del caos que experimentamos en la infancia. Hay un punto medio tranquilo en el centro donde podemos estar juntos y nivelarnos, pero tan pronto como un problema empuja demasiado en cualquier dirección, comienza el conflicto y el dolor. Esta configuración solo conduce al dolor y nos deja equilibrados precariamente a la vista de la tormenta, porque tememos que hacer algo para desbalancearnos y arruinar una paz duramente ganada. Este es el colmo de la neurosis, pero es parte de ser humano. En general, carecemos de la comprensión y la perspectiva para realmente vivir plenos y felices en asociación con nuestra pareja. Es solo a través del duro trabajo de cambiar toda la dinámica de tu matrimonio y tu relación, que puedes evadir este sistema similar a un tornado y realmente apreciar lo que significa vivir la vida uno al lado del otro.

Cuando experimentas dificultades en tu matrimonio, lo primero que tienes que reconocer, aceptar y trabajar es que ya no eres la prioridad del otro. En algún lugar a lo largo de la línea, el matrimonio se ha desarrollado de tal manera que los ha distanciado más que antes. Hay una falta de conexión importante y han perdido el corazón del otro. El momento crítico en que se dan cuenta de esto como pareja, puede ser el día en que el divorcio ocurra de manera efectiva y simbólica, o el día en que decidan que van a detener este proceso y a trabajar para recuperarse el uno al otro.

Para ganar el corazón del otro, tienes que pensar en términos de por qué estás perdiendo o perdiste la conexión que tenían y que los llevó a desear casarse en primer lugar. Has perdido en el camino la intimidad de tu matrimonio y necesitas traerla de regreso. El problema con esto es que no se puede encontrar como un objeto perdido; una vez que desaparece, la única forma de recuperarla es reconstruirla de la manera lenta en que lo hiciste la primera vez. Debes hablar en profundidad sobre tus sentimientos y la forma en que experimentas la vida. Sobre por qué eres como eres y las razones por las que haces lo que haces. Debes volver sobre tus pasos, a los problemas que te han estado moldeando desde la infancia, y descubrir cómo dejar ir las cosas que te retienen. Parte de reconectarse como pareja es sacar los problemas que ambos enfrentan del subconsciente y exponerlos a la luz. Trata de tomar conciencia de las razones por las que eres como eres, en lugar de vivir tu vida en la miseria y la ignorancia. Hablar sobre estos problemas entre ustedes debilitará el control que tienen sobre ti, ayudándote a dejarlos en el pasado, que es donde pertenecen.

A veces ni siquiera recordamos los influyentes y traumáticos eventos pasados que nos dan forma y determinan cómo nos tratamos a nosotros mismos y a los demás. Esta programación inconsciente solo se puede descubrir hablando de ella. Debes comenzar a hablar sobre las cosas para que comience el efecto dominó, para que recuerdes y todo tenga sentido en el contexto más amplio que te ha convertido en la persona que eres hoy. Primero tenemos que examinar nuestra propia programación para realmente comenzar a cambiarla. Aumentar tu conciencia y la de tu cónyuge sobre la programación que recibiste desde la infancia, especialmente de eventos perturbadores y traumáticos, es absolutamente vital para convertirse en personas mejor adaptadas y tener una mejor relación matrimonial. Si no hablas de las cosas que te han sucedido extensamente o en detalle, simplemente no puedes procesarlas y tratarlas totalmente. Tienes que abrir para dejar salir las cosas y liberar su control sobre ti. Es la diferencia entre tratar la raíz del problema o simplemente aliviar los síntomas. Cuando aprendes a superar tu programación subconsciente, se hace más fácil mirar las cosas objetivamente y que las aborden juntos, en lugar de simplemente culpar al otro por los problemas.

Cuanto más profunda es la conversación en cualquier relación, más cercanos se vuelven los interlocutores. Cuanto más hables sobre tus problemas con tu cónyuge, más se volverán a conectar. Mientras los dos hablan, deben comprometerse a cambiar la naturaleza de su matrimonio. Es muy importante que ambos estén en la misma página. Debes querer que tu matrimonio sea algo feliz, equilibrado y gratificante del cual formar parte. Para lograrlo, ambos deben comprender cómo hacerlo y estar preparados para trabajar en ello. Aprender a mirar las cosas positivamente es de suma importancia, al igual que comprender que nada es perfecto y que siempre hay más por hacer. Como cualquier cosa en la vida, tener un buen matrimonio es una cuestión de elección. Una vez que veas que es una opción, se convierte en una. Tu actitud y posición sobre tu matrimonio influye en el aspecto que tiene y en cómo comparas tu propia relación matrimonial con la de otras parejas casadas. Esto también se conoce como sesgo de selección. Si sientes que tu matrimonio es horrible, será mucho más probable que tomes nota y compares tu matrimonio con otro cuando parezca mejor que el tuyo. De la misma manera, sentirte bien con tu matrimonio te hace más propenso a compararlo con los matrimonios menos felices. La verdad es que cada matrimonio tiene aspectos buenos y malos. Tu matrimonio es lo que es. Podría ser mejor, podría ser peor, y así serán siempre las cosas.

Es esencial que comiences el proceso de curación tan pronto como sea posible, idealmente antes de desenamorarte por completo, aunque casi siempre es posible recuperarse con suficiente trabajo duro; el problema con el desamor es que elimina la motivación para trabajar duro, ya que no parece valer la pena. En cualquier etapa en la que tú y tu cónyuge se encuentren, ten en cuenta que estas cosas llevan tiempo. No hay una solución rápida o fácil cuando se trata de las relaciones. Tienes que trabajar consistentemente y ver cómo las cosas funcionan a largo plazo. El divorcio es una solución permanente a un problema temporal, así que ten en cuenta el amplio panorama al que apuntas y recuerda tratar de ver toda la positividad y belleza que existe en tu matrimonio en este momento, y piensa en todas las cosas buenas que juntos podrían hacer y crear en el futuro cercano una vez que vuelvan a la normalidad. Demostrar cuánto significa para ti tu cónyuge, mediante esta actitud y proactividad, es lo que mantendrá vivo tu matrimonio, incluso si está casi en coma.

Existe un marcado contraste entre hacer lo que es fácil y hacer lo correcto. Hacer lo correcto como parte de una pareja casada rara vez es fácil, pero eso no significa que tengas excusa para no hacerlo. Estar casado es una tarea difícil, pero muy gratificante, siempre y cuando estés dispuesto a hacer lo que sea necesario para que así sea. El matrimonio tiene que ser íntimo y deben estar altamente involucrados para hacer que todo funcione; de lo contrario, no disfrutarán tocarse, hablar o estar cerca el uno del otro. Solo la actitud, los principios, los valores y las perspectivas correctas pueden generar que esta intimidad sea compartida y expresada tanto por ti como por tu cónyuge. Intenta aportar inspiración y energía a tu matrimonio. Se creativo. Procura construir cosas con el otro, no destruirlas. Usa tus pensamientos, tu lenguaje y tu confianza para guiarlos a ambos en la dirección correcta.

Salvar el matrimonio por tu cuenta

El matrimonio es un deporte de equipo. Si no están trabajando juntos al menos en algún sentido o si no hay cierta voluntad de ambas partes para salvarlo, no va a funcionar. Dicho esto, hay momentos en que una persona está mucho más involucrada en salvar un matrimonio que su cónyuge, y se encuentra en la difícil posición de intentar que funcione por sí misma. Aunque se necesitan dos para bailar un tango, hay razones válidas por las cuales un cónyuge está dispuesto a hacer mucho más esfuerzo que su pareja, quien no está interesado y quiere que las cosas terminen. Las personas son increíblemente complicadas e imposiblemente complejas. Separar cómo te sientes y por qué te sientes así es algo difícil, y a veces nos perdemos en el limbo donde nada parece significar nada. Eso no quiere decir que nos sentiremos así para siempre.

Si sientes que tu cónyuge no está haciendo tanto o no está tan interesado en salvar tu matrimonio como tú, estás en una situación retadora. Obviamente, es una que no puede durar para siempre. No puedes llevar tu matrimonio sin ayuda por el resto de tu vida, ni deberías hacerlo. Tienes que hacer maniobras para salir de esa posición difícil, lo que implica volver a unir a tu pareja y comprometerte actuando unilateralmente y asegurándote de que estás haciendo todo lo posible para mejorar las cosas entre ustedes. Si después de haber demostrado lo que significa tu matrimonio para ti y cuán duro estás dispuesto a luchar por ello, tu cónyuge aún muestra poco interés en hacer el esfuerzo para mejorar las cosas, podría ser una causa perdida. Mientras tanto, todo lo que puedes hacer es intentar.

Lo primero que debes aceptar cuando se trata de salvar tu matrimonio por tu cuenta, es que tu cónyuge ya está aportando todo lo que va a aportar por el momento. No hay una solución rápida o una manera fácil de involucrarlo para que luche por su matrimonio. No, no es justo, y sí, debería hacer más, pero con toda probabilidad, si aún no lo ha hecho, no comenzará pronto. No hay nada que puedas hacer para cambiarlo o controlarlo o hacer que se tome las cosas en serio. Probablemente, cualquier intento de hacerlo empeorará las cosas entre ustedes dos. En cambio, tendrás que concentrarte en arrodillarte, meterte en las trincheras y hacer el trabajo pesado tú mismo, al menos por ahora. Actualmente tu cónyuge ya te da todo lo que va a aportar, por lo que tendrá que ser suficiente hasta que comience a funcionar.

El proceso de salvar tu matrimonio no se desvía demasiado del resto de los consejos que te he presentado a lo largo del libro. La diferencia es que tienes que estar mucho más comprometido y tener mucho más impulso para hacer estas cosas sin que tu pareja las haga también. Te cansarás y desilusionarás. Te preguntarás por qué siquiera lo intentas. Pero si aguantas y persistes, tu positividad, amor, amabilidad y esfuerzo comenzarán a contagiársele a tu pareja. Después de todo, la mejor manera de que ambos salgan de las arenas movedizas muchas veces es trabajar para liberarse y luego regresar para ayudar. Las actitudes y el comportamiento de las personas que nos rodean se contagian, así que si puedes poner en práctica las ideas que hemos discutido en este libro por ti mismo, es más probable que puedas mostrar a tu pareja las cosas desde un punto de vista más saludable y positivo.

La gratitud y la positividad te dan el poder y la perspectiva que necesitas para poder seguir adelante y abordar todo lo demás. También te ayudarán a cultivar las mismas características en tu pareja. Como seres humanos, estamos naturalmente preparados para evaluar todo en nuestras vidas. Esto significa que tendemos a juzgar las cosas simplemente por la fuerza del hábito. Sin embargo, este juicio es una elección y algo que podemos reconsiderar para desarrollar una actitud de apertura e interés, sin llegar inmediatamente a conclusiones negativas. Muchos matrimonios presentan algo conocido como "subcontratación de culpa", donde juzgamos y culpamos a nuestras parejas de nuestros problemas, cuando realmente tenemos un papel importante en todos los problemas de nuestra vida. Este podría ser tu caso o de tu cónyuge; de hecho, es probable que haya un elemento de esto en ambas partes de la pareja. Comprenderlo puede ayudarnos a asumir la responsabilidad de nuestros problemas y a centrarnos en hacer lo que podemos y debemos hacer para retrasar nuestro fin, mantener nuestros votos y hacer todo lo posible para salvar nuestro matrimonio, incluso si eso significa empezar actuando solo.

La presión de tener hijos

Uno de los elementos centrales de la mayoría de los matrimonios, y una causa común de estrés, presión y conflicto, es tener hijos. Incluso antes de concebir a un niño, el concepto mismo de uno puede poner una tensión grave en cualquier relación. Tener un bebé es una inversión económica, de tiempo y social significativa, y por esta razón surgen inevitablemente cuestiones prácticas y de buscar el momento preciso. Incluso dentro del contexto de un matrimonio, el tema de tener hijos puede ser difícil. Es por esta razón que es tan importante que tú y tu cónyuge sean tan claros como puedan ser sobre sus propias expectativas, y las de los demás, cuando se trata de tener hijos, para evitar decepciones si difieren significativamente.

Tener hijos cambia una relación de manera profunda y fundamental. Si tienes hijos, es importante que compenses el efecto que inevitablemente tienen en tu matrimonio para mantenerlo sano y feliz. Ellos aportan una gran cantidad de presión y estrés a la dinámica de la relación entre sus cuidadores, quienes deben asegurarse de proporcionar a sus hijos alimentos, ropa, tiempo de calidad, amor y la estimulación que necesitan para crecer y desarrollarse de manera saludable. El efecto combinado de todo esto puede presionar incluso al matrimonio más fuerte.

Toda relación necesita mantenimiento, especialmente en tiempos de cambio. Tener un hijo es, posiblemente, la experiencia más extraordinaria y que supera los límites que una persona puede tener, por lo que es aún más importante que le des a tu matrimonio el tiempo y el esfuerzo que merece, en lugar de descuidarlo para centrar tu atención en los pequeños. Es increíblemente fácil ser absorbido por nuestros hijos; después de todo, estamos genéticamente diseñados para ponerlos ante nosotros en todos los sentidos. Sin embargo, debes mantener las otras relaciones en tu vida, y muy pocas son más importantes que la que tienes con tu cónyuge. Asegúrate de dedicar esfuerzo a tu matrimonio y pasar tiempo a solas con tu pareja. Podrían contratar o pedir a alguien cercano que cuide a los niños mientras ustedes dos van a una cita nocturna, o simplemente hacer un esfuerzo para abrazarse, besarse y ver una película juntos después de que los niños se hayan acostado. Deben pasar tiempo como pareja para recordar que no son solo padres; están casados. Ustedes son amantes, mejores amigos y aún mejores parejas, aunque puede ser fácil perder de vista esto. Asegúrate de tomarte el tiempo para reavivar las cosas de vez en cuando y permítete sentirte cómodo cuando estén solos y pasando tiempo juntos, para así mantener la fortaleza de su matrimonio y del vínculo que tienen entre sí.

Otra cosa importante que debes hacer para mantener tu matrimonio fuerte cuando tienes hijos es recordar cuidarte. Si no se satisfacen tus necesidades inmediatas, ¿cómo puedes esperar ser un buen esposo, esposa o padre? La relación más importante que tenemos en la vida es la que tenemos con nosotros mismos. Si no estás haciendo las cosas que necesitas para cuidarte, tu matrimonio inevitablemente sufrirá, junto con todos los demás aspectos de tu vida. Puede ser muy difícil recordar tomarte el tiempo para estar solo y hacer las cosas que disfrutas haciendo, las cosas que te reviven, te refrescan y te hacen sentir revitalizado. Un efecto secundario común de tener hijos es sentirte menos individual, menos como un ser humano autónomo y más como el papel social que tienes que desempeñar para tu familia. Todos necesitan tiempo a solas, para que lo dediquen a hacer lo que aman o vayan a ver a sus amigos. Sin esto, las relaciones en nuestras vidas inevitablemente sufren. Si deseas salvar tu matrimonio, asegúrate de que, tanto tú como tu cónyuge, se tomen un tiempo para sí mismos.

Consejo rápido: No estás solo en esto. Todos necesitan una red de apoyo, personas a tu alrededor para disfrutar de la vida cuando las cosas están bien y para ayudar a compartir la carga cuando los tiempos se ponen difíciles. Tu cónyuge e hijos representan una gran red de apoyo para ti, pero asegúrate de no descuidar tu persona ni a tus amigos mientras disfrutas de la vida familiar. En tanto tú y tu cónyuge recuerden pasar tiempo de calidad y a solas, podrán cultivar un ambiente hogareño tranquilo, lleno de cariño y amor para todos en tu familia.

Extra: Ideas para las citas nocturnas de las parejas casadas

Cuando se trata de pasar tiempo de calidad con tu cónyuge, no solo te estás tomando el tiempo para divertirse. Te estás reconectando como pareja. Estás fortaleciendo el vínculo y la intimidad que comparten, y estos serán los factores que te permitirán recorrer el camino a su lado. Además, solo se vive una vez. Tienes que divertirte y disfrutar, y ¿quién mejor para compartir esas actividades recreativas que la persona con la que te casaste porque querías pasar el resto de tu vida con ella?

Recomiendo asignar para las citas al menos una noche a la semana, como el viernes o el sábado, y hacerlo todas las semanas tanto como sea posible. Esto les da a ambos algo que esperar al final de la semana y garantiza que constantemente pasen tiempo de calidad juntos. También pueden hablar y planificar lo que van a hacer cada fin de semana a lo largo de la semana, lo que aumenta la tensión y la emoción y asegura que siempre tengan ideas divertidas.

Aunque parte de la diversión de tener una cita semanal con tu cónyuge es planificar qué hacer o ser espontáneo, he incluido algunas ideas para ayudarte a comenzar:

1. **Cena y película**: Este es un clásico, y lo es por una buena razón. Salir a una cena romántica con tu pareja antes de ir a ver una película al cine es una cita divertida e íntima. Es una buena combinación de conversación y entretenimiento pasivo, en ella pueden sentarse, relajarse y disfrutar de un espectáculo juntos mientras se toman de la mano. Incluso puedes extenderlo antes de irte a casa yendo a

caminar juntos o paseando en auto. Con todo, yo siempre digo que esta es una de las mejores ideas de citas de todos los tiempos. Es versátil, efectiva y completamente agradable, además de que puedes comer una buena comida y luego unas palomitas de maíz y un refresco.

2. **Ir a beber algo**: Otro clásico. No hay nada como relajarse en el bar o en algún lugar privado y emborracharse con tu cónyuge. Después de todo, las citas se tratan de divertirse, ¡y beber sin duda lo facilita! Puedes tener horas y horas de conversación, coquetear y construir intimidad con nada más que los dos y un puñado de bebidas para cada uno. El alcohol también puede ayudar a romper el hielo, especialmente si ustedes dos han pasado por un mal momento y no están seguros de cómo reconstruir la intimidad. Ir a tomar algo también puede llevarlos de regreso a cuando estaban saliendo, y recordar toda la emoción y anticipación

que conlleva. ¡Solo asegúrate de que ninguno conduzca a casa!

3. **Al boliche**: Jugar algo juntos puede ser muy divertido. Pueden reírse, bromear e inocentemente burlarse el uno del otro de una manera que realmente construya la camaradería y la intimidad entre ambos. Estar casados se trata de ser grandes amigos, y las actividades divertidas como el boliche son una excelente manera de mantener su amistad o animar las cosas y recordarse, cuando se sientan distantes, quiénes son y qué hacen juntos.

4. **A la playa**: Esta es una experiencia de cita a menudo pasada por alto, pero, en mi opinión, extremadamente gratificante, claro, siempre que estés cerca de una playa. Puedes ir con el calor del día y nadar, tomar el sol, leer o escuchar música mientras comen helado juntos; o por la noche con algunas mantas y tumbarse a observar las estrellas mientras escuchan las olas. Este tipo de cita, con ustedes dos

en la oscuridad, se volverá mágica si no es el tipo de cosas que hagan con normalidad. Es un tipo de cita que evoca la sensación de ser joven y estar enamorado de nuevo, algo que sé que muchos matrimonios ya no sienten.

5. **Por un postre**: Ir a tomar un postre juntos es una gran idea, aunque breve, para una cita, particularmente satisfactoria si es algo inesperado o si ya han estado haciendo algo juntos. Es una excelente manera de completar la noche y pasar un tiempo reflexionando sobre lo que han hecho anteriormente, aunque es una idea excelente por sí misma; especialmente si el lugar donde obtienes el postre es uno importante en sus vidas.

6. **Al teatro**: Al igual que ir al cine, ir al teatro con tu pareja es una receta para una cita brillante. También tienes la ventaja adicional de un interludio y la novedad de ver a actores interpretando en vivo, algo que puede ser una experiencia

increíblemente poderosa y conmovedora. Si tienes la oportunidad de ir a ver uno de los grandes musicales al estilo Broadway, deberías aprovecharla; les encantará, se divertirán muchísimo y hablarán de eso durante días. Citas como esta te permiten hacer algo antes o después, lo que significa que puedes adaptar la experiencia para obtener todo lo que desees.

7. **Actividades al aire libre**: Puede que no a todos les parezca la mejor idea para una cita, pero a algunas personas les parecerá mágica. Deberías tratar de asignar días enteros a cosas como esta en lugar de solo un rato por las tardes. Hay algo acerca de estar en el desierto caminando por un sendero con tu cónyuge, o andar en bicicleta, o tomar un bote juntos en un lago que inspira sentimientos abrumadores de amor, gratitud y aprecio. Pasar tiempo juntos al aire libre puede ser una experiencia humilde e íntima, si así lo deseas. Tampoco tiene que ser algo

dramático o intenso. Podrían ir de picnic juntos, o incluso caminar. A veces el aire fresco y la compañía de tu cónyuge es todo lo que realmente necesitas para una gran cita.

8. **Salir de vacaciones**: Ya sea que finalmente decidas hacer ese viaje a Europa o no viajes tan lejos, ir a algún lugar con tu cónyuge es algo muy personal y gratificante. Pone el énfasis en pasar el rato y el tiempo de ocio juntos durante días, lo que les da un descanso de la vida laboral ordinaria y les brinda la oportunidad de relajarse juntos y volver a conocerse.

9. **Noche de juego**: Mucha gente se aleja de la idea de las noches de juego como una forma de divertirse, pero siempre me han parecido brillantes. Ya sea que tengas un buen juego de dos o te reúnas con otras parejas y amigos para una actividad grupal, jugar es una excelente manera de

crear intimidad y fortalecer el vínculo con tu cónyuge.

10. **Noche en casa**: A veces, todo lo que necesitas para divertirte es el placer de la compañía del otro y una noche en casa. Creo que las citas más simples son a menudo las más gratificantes, y pasar tiempo de calidad juntos puede ser tan simple o tan complicado como quieras. Las noches pueden ser especialmente agradables cuando uno de ustedes cocina para el otro, o si cocinan juntos y comparten una botella de vino, un postre y una película. Estar en la comodidad de tu hogar le agrega algo a la atmósfera.

Capítulo ocho:

Divorcio

Probablemente no estarías leyendo o escuchando este libro si estuvieras seguro de que deseas un divorcio, pero quiero que sea una guía totalmente inclusiva, y un manual para salvar el matrimonio no estaría completo sin una advertencia sobre cómo proceder para terminarlo de manera correcta. Es una pena, pero todas las cosas deben llegar a su fin de una forma u otra, y a veces las personas no están destinadas a estar juntas. Si tu mente te insiste al pensar en separarte y parece que tu cónyuge también lo tienen en mente, entonces este capítulo es para ti.

¿Cuándo debes divorciarte?

La pregunta de cuándo es correcto quedarse y luchar por tu matrimonio y cuándo es mejor hacer el recuento de los daños y terminar, es muy difícil de responder. Como mencioné anteriormente, soy una gran defensora de las parejas casadas que permanecen juntas todo lo posible, siempre que puedan encontrar una manera de hacer que las cosas funcionen y sean felices y plenas, y mantengo que la mayoría de las parejas pueden hacerlo, muchas más de las que realmente lo intentan. Tirar la toalla es la salida fácil, y como lo demuestran las altas tasas de divorcio en las personas que se vuelven a casar, permanecer casado es mucho más un proceso de tenacidad y persistencia que de casarse con la persona adecuada. La fuerza de voluntad lo es todo, y con suficiente impulso y un poco de orientación, prácticamente cualquier pareja puede aprender cómo hacer que su matrimonio funcione. A veces, sin embargo, no es el caso. La vida tiende a desarrollarse de la manera más extraña, y muchas, si no la mayoría de las personas casadas, en algún momento encuentran que los pensamientos de divorciarse llegan hasta ellos.

No te equivocas al considerar el divorcio, ni te equivocarías al seguir el proceso. Al final del día, lo más importante en tu vida es tu propia felicidad y bienestar, y tienes que hacer lo que sea necesario para proteger eso. Tú y tu cónyuge conocen los detalles de su matrimonio mejor que nadie. Si estás convencido de que no hay nada que valga la pena salvar, o si no quieres salvarlo, entonces debes honrar esos sentimientos. La vida es muy corta para ser infelices. Tú sabrás si el divorcio es la decisión correcta o si todavía hay algo entre ustedes por lo que valga la pena luchar. A veces las personas simplemente no terminan trabajando bien juntas; cuando la felicidad juntos se convierte en un sueño imposible de alcanzar, independientemente de la actitud, la mentalidad y la voluntad de tratar de mejorar las cosas por parte de ambos, entonces probablemente el juego se ha terminado, a menos que prefieras pasar el resto de tu vida en la más absoluta miseria.

Decidir si debes o no divorciarte nunca es algo que deba tomarse a la ligera. Te recomiendo tratar de obtener todo el espacio y la perspectiva que puedas cuando intentes tomar la decisión. Si puedes salir de la casa durante unos días, o encuentras alguna otra forma de tener menos contacto con tu cónyuge que no sea para fines esenciales por un tiempo, es posible que te ayude a cambiar la forma en que ves las cosas y entiendas más a fondo qué es lo que quieres de tu vida y si tu cónyuge puede, o no, ser parte de eso. Hablar con amigos y familiares cercanos también es una gran idea, ya que pueden ayudarte a descubrir cómo piensas y qué sientes realmente acerca de tu matrimonio y si deseas quedarte y tratar de hacer que las cosas funcionen o si estás listo para pasar de página. Si crees que es el momento adecuado para trazar una línea debajo de todo y divorciarte, entonces eso es lo que debes hacer. Tienes que confiar en ti mismo y en tu propio juicio; tienes que creer en ti y cubrir tu propia espalda. Si no te defiendes a ti mismo, ni a tu felicidad y bienestar, ni haces lo que es correcto para ti, ¿quién lo hará?

¿Qué hacer cuando tu cónyuge quiere divorciarse?

Si te encuentras en una situación en la que tu cónyuge te ha dicho que quiere divorciarse, lo primero que debes hacer es respirar profundamente y tratar de mantener la calma. No es el fin del mundo. Sigue respirando, evita caer en crisis. Si comienzas a entrar en pánico, activarás la respuesta de lucha o huida, lo que impedirá tu capacidad de pensar con calma y claridad. Ahora, los siguientes pasos que debes tomar dependen completamente del contexto completo de tu situación; tu matrimonio, la

171

forma en que tu cónyuge se siente acerca de tu matrimonio y la forma en que te sientes al respecto. Quizá termines divorciándote, pero quizá no lo hagas. El hecho de que tu cónyuge esté diciendo que quiere uno, no significa necesariamente que terminará siendo lo que ustedes dos decidan hacer. Nada está escrito en piedra. Si terminas divorciándote, será porque ese curso de acción es el mejor para los dos. Pase lo que pase, tu futuro estará lleno de felicidad, risas y alegría porque tienes el poder para que así sea.

Lo que debe suceder después es importante pero no urgente, así que tómate el tiempo para procesar las cosas y tener la mente clara antes de pasar a la siguiente fase. En primer lugar, debes hacer una evaluación precisa de la realidad de tu situación matrimonial. ¿Tu pareja en realidad se quiere divorciar? ¿Cómo lo sabes? ¿Quieres divorciarte? ¿Cómo lo sabes? Habla de esto con tu cónyuge de la manera más abierta, honesta, tranquila y madura que los dos puedan manejar, y deja que todo salga a la luz. Esto es hacer o deshacer, así que coloca todas las cartas que sostienes sobre la mesa y anima a tu cónyuge a hacer lo mismo. Céntrate en lo que está mal, no en quién está mal. Obviamente, hay algo que no funciona, o no estaría en esta situación, por lo que es hora de llegar al fondo de lo que está roto y por qué. Dile a tu cónyuge exactamente cómo te sientes y qué te gustaría hacer para continuar, y pídele que haga lo mismo. Puede ser que tu cónyuge realmente quiera hacer que las cosas funcionen, pero está al final de la relación y piensa en el divorcio como la única opción. La forma en que se desarrolle esta interacción y las conclusiones a las que lleguen como pareja estarán determinadas por su situación individual y el contexto de su matrimonio. Puede ser que los dos estén de acuerdo en cambiar las cosas, en dar una última oportunidad para que su matrimonio realmente funcione.

Si, por alguna razón, ya sea de la otra parte o una decisión mutua, ustedes dos se dirigen al divorcio, entonces lo más importante que pueden hacer es aceptar la realidad de la situación. Si no hay nada más que hacer y una o ambas mentes se han hecho a la idea, entonces es lo que es. Simplemente tienes que aceptar que las cosas no siempre funcionan de la manera que alguna vez pensaste que lo harían, y eso está bien. Es triste, pero necesario. Si hubiera otra salida, ustedes dos la habrían tomado, pero este es el fin del camino para su matrimonio. Date todo el tiempo y espacio que necesites para procesarlo. Puede parecer que tu vida ha terminado y que el mundo se está acabando, pero te prometo sinceramente que no es así. Este podría ser el final del capítulo actual, pero está lejos del final de tu historia; es el comienzo de un nuevo capítulo. No importa tu edad ni el miedo que tengas de no volver a encontrar el amor. Puedes y encontrarás lo que quieras encontrar en el futuro. Nadie merece ser infeliz, así que consuélate con el hecho de que al menos eso se va a acabar. No estarías en la posición en la que te encuentras si no fuera por mucha infelicidad, ya sea de tu parte o de tu cónyuge.

A veces, las cosas simplemente no funcionan, y el matrimonio no es una excepción a esta regla. Lo mejor que puedes hacer es enmarcar el divorcio en tu mente como una gran experiencia de aprendizaje. Si bien está lejos de ser algo deseable, te enseñará importantes lecciones sobre ti, los demás y la vida que puedes llevar para convertirte en una persona más plena y experimentada. Las dificultades que enfrentamos en la vida sirven para revelarnos exactamente quiénes somos y nos enseñan lecciones fundamentales sobre lo que significa ser humano. Si puedes ver la belleza en eso, puedes tomar todos los aspectos positivos (y habrá aspectos positivos, sin importar cuán difícil sea creerlo) de tu divorcio mientras aprendes todo lo que puedes de los negativos y luego sigues con tu vida en una dirección completamente nueva.

No caigas en la trampa de pensar que tu principal prioridad debería ser encontrar a alguien lo más rápido que puedas. Divorciarte, como todas las cosas en la vida, es una oportunidad. Te ayudará a descubrir más sobre quién eres y a abrazar todas las cosas que quieres hacer en la vida que tal vez no hubieras podido hacer tan fácilmente mientras estabas casado. El desarrollo personal es el resultado inevitable de cualquier relación que llegue a su fin, y debes esforzarte por aceptarlo de todo corazón. Hay muchas, muchas personas atrapadas en matrimonios miserables de los que no pueden escapar, y no importa el contexto de tu propio matrimonio, al menos tienes la libertad de vivir la vida en tus propios términos y aprovechar al máximo el tiempo. Hay que apreciar la increíble experiencia que llamamos vida.

Divorciarse pacíficamente

Una vez que está claro que el divorcio es inevitable, lo único que queda por hacer es tratar de superar todo el proceso de la manera más civilizada y amistosa posible. Toda vez que uno de ustedes ha elegido el camino del divorcio, ambos están en él, independientemente de si quieren o no estarlo. Si fue tu elección dividirse, entonces hazlo; si esto es realmente lo que quieres, no decaigas. Si no fue tu elección, todo lo que puedes hacer es aceptar el camino en el que te encuentras e intentar que las cosas sean lo más fáciles posible para ambos. Los divorcios pueden volverse desordenados rápidamente, especialmente cuando se trata de asuntos como las finanzas y la custodia de los niños, si tienes alguno. El hecho de que tu matrimonio esté terminando no significa que el proceso deba estar lleno de resentimiento, amargura y hostilidad. Intenta verlo como el problema final en el que tendrás que trabajar en equipo por última vez. Es posible hacerlo de manera sensata, madura y compasiva, siempre que ejerzas autocontrol y no hagas nada intencionalmente malicioso. El hecho de que las cosas estén llegando a su fin no significa que el rencor o la maldad tengan que ser parte. Todo lo que puedes hacer es controlar tus propias reacciones y conducta, así que asegúrate de ser siempre la persona más madura, en caso de que tu futuro ex parezca tener la intención de jugar sucio.

Haz todo lo posible para que el divorcio sea un proceso irreprochable. Por supuesto, solo puedes participar en esto, pero al evitar echarle la culpa a tu cónyuge, no lo antagonizarás ni provocarás una pelea legal. Céntrate en la imagen más grande; tu futuro una vez que todo esté dicho y hecho, cuando el proceso de divorcio sea solo un recuerdo lejano en el espejo retrovisor. Los divorcios feos rara vez se planean. A menudo son el resultado de que la situación se convierta en un atolladero de malos sentimientos y juegos, donde las represalias por injusticias reales o imaginadas provocan una dinámica de ojo por ojo que rápidamente se descontrola y arruina cualquier posibilidad de que las cosas procedan amigablemente. Siempre tienes la opción de actuar o reaccionar. Si actúas de buena fe, con dignidad y respeto hacia tu pareja y tú mismo, entonces es muy probable que tu cónyuge te devuelva el gesto y se pueda evitar cualquier fealdad. Solo divorciarse ya es un proceso bastante duro; no hay razón para hacerlo más difícil de lo necesario.

Algunos de los mejores consejos que puedo dar a cualquier persona que se divorcie son: consigue un abogado, elimina Facebook y ve al gimnasio. Hay varias razones por las cuales esta combinación es tan efectiva para ayudar al proceso y hacer que todo sea mucho más fácil de manejar. Por un lado, tu abogado se encargará de todas y cada una de las formalidades legales, brindándote un grado de separación y experiencia invaluable que te ayudará a evitar las partes más confusas y complicadas de un divorcio, especialmente si estás tratando de hacerlo pacífico, pero tu ex cónyuge no está de acuerdo con esto. Salir de las redes sociales te ayudará a despejarte. Pasar por un divorcio viene con muchas consecuencias sociales, y mantenerte alejado de las redes sociales te evita quedar atrapado en cualquier cosa y, en cambio, solo concentrarte en tu propia vida. Después de que el polvo se asiente, cualquiera que aún desees mantener en tu vida seguirá siendo parte de ella, en las redes sociales o no, y todos los demás estarán en el pasado a donde pertenecen.

Como mencioné anteriormente, quizá el área más difícil cuando se trata del divorcio es la cuestión de los hijos, si tienes alguno con tu ex. Quién obtiene la custodia, cuáles son los derechos de visita y cosas como la manutención, pueden convertirse en un campo minado. Tener un abogado te ayudará muchísimo con los procedimientos legales tan complicados, pero para que el proceso de divorcio sea lo más fácil y pacífico posible, recomendaría pensar muy profundamente en el contexto más amplio de la situación y cuál es la cosa más justa para tus hijos. Siempre debes tratar de ponerlos primero, en cualquier situación, incluso si lo que es mejor para ellos no es lo mejor para ti. Tratar de seguir siendo amigos, o al menos terminar con una actitud positiva con tu ex cónyuge también es importante si tienes hijos, porque hasta cierto punto continuarán involucrados en la vida del otro por cuestiones de crianza cooperativa. Obviamente, esto no es posible en todos los casos, pero debes esforzarte al máximo para facilitar las cosas a largo plazo.

Seguir adelante

Aprender a seguir adelante después de un divorcio puede ser un proceso confuso y abrumador. Habrá muchas cosas con las que tendrás que enfrentarte, muchas áreas diferentes de tu vida en las que deberás pensar por primera vez en mucho tiempo. Sentirás toda una gama de emociones, desde estar feliz y aliviado de que tu matrimonio haya terminado, especialmente si fuiste infeliz durante mucho tiempo, hasta estar desesperadamente triste, ansioso, confundido y solo. A lo largo de este proceso, es crucial que te concentres en ti mismo como individuo y hagas las cosas que debes hacer para fomentar tu propio desarrollo personal y prepararte para un futuro mejor. Pasar del divorcio es un proceso de recuperación. Se trata de aprender a estar solo otra vez. Es un proceso difícil, pero lo superarás con el tiempo y surgirás de él como una persona mejor y más sabia, por haber tenido esa experiencia.

Un paso importante hacia la recuperación es entender qué salió mal. Por qué te casaste en primer lugar y por qué terminaste divorciándote. Todos cometemos errores; lo importante es que aprendas de ellos. Mucha gente queda atrapada en este proceso, deteniéndose en preguntas como: "¿qué hice mal?", "¿de quién es la culpa de todo esto?" y "¿por qué me pasa esto a mí?" Pero creo que la única manera de seguir adelante es darse cuenta de que no hay culpas; nadie tiene la culpa y la vida es simplemente una gran experiencia de aprendizaje. Solo cuando puedes poner a un lado la necesidad de culpar y odiar por tus experiencias negativas, es que finalmente comienzas a ver la vida como realmente es. Simplemente como es. No tiene que haber un motivo. En cambio, puede ser útil enfocarte en lo que le faltaba a la relación y las formas en que tú y tu ex eran incompatibles solo porque lo eran. Hay problemas en cada relación, y terminaron siendo demasiados para la tuya. Está bien. No es culpa de nadie. A tu matrimonio le faltaba algo y no pudiste satisfacer tus necesidades o las de tu pareja de ninguna manera. Es mejor contemplar preguntas a lo largo de esta línea y mirar todo el asunto de manera objetiva, en lugar de centrarte en quién hizo qué y de quién es la culpa. Mirar las cosas de esta manera puede ser más frustrante, pero te ayudará a obtener una comprensión más clara de la situación. Cuanto mayor sea tu comprensión, más fácil será para ti seguir adelante.

El período justo después de la separación y el divorcio es una oportunidad para reflexionar, hacer un inventario de tu vida hasta el momento y descubrir hacia dónde se dirige tu trayectoria, y pensar en cómo cambiarla si así lo deseas. Es una oportunidad de aclarar las cosas, encontrar tu individualidad y determinar qué tipo de persona realmente quieres ser, en ningún otro término más que en el tuyo. Cuidarte y comprometerte con los buenos hábitos es vital en esta etapa, ya que los primeros meses son cuando la realidad de la situación realmente se asienta y el momento en que te sentirás más perdido y sin dirección. Tu autoestima y la confianza en tu persona pueden sufrir un duro golpe durante este tiempo, por lo que es esencial que hagas lo siguiente para evitar que te derriben:

1. **Aflígete**: Un divorcio es un evento traumático masivo. Con tantos cambios te sientes muy diferente de cómo podrías haber estado hace poco. Date el tiempo que necesitas para llorar por la parte de tu vida que ha terminado, independientemente de si lo deseas o no. Se necesita tiempo para que la realidad se asiente y para que te acostumbres a cómo serán las cosas de ahora en adelante. Tendrás días buenos y días malos, así que apóyate permitiéndote sentir las emociones negativas que estás experimentando.

2. **Deja ir**: Para seguir adelante con tu vida, debes aceptar todo lo que ha sucedido y dejarlo ir. El dolor y la ira que sientes pueden hacerte sentir poderoso y fuerte; son casi adictivos en este sentido. Vive y honra cómo te sientes, pero cuando sea el momento, déjalo ir. Cuanto más te aferres a tus emociones negativas, más difícil será

cortar la conexión que tienes con tu pasado y seguir adelante.

3. **Habla con la gente**: Hablar con las personas no solo te ayudará a procesar tus pensamientos y sentimientos, sino que también evitará el aislamiento y te ayudará a mantener un sentido saludable de la perspectiva. No estás solo. Compartir tu mundo interior con las personas que tienes cerca te permitirá afrontar mejor la situación en la que te encuentras.

4. **Fija tus metas**: Algunos días puede parecer que no vas a ninguna parte, y eso está bien. Creo que puede ser útil planificar con anticipación y establecer metas a corto plazo para tener un horario que cumplir y cosas que te mantengan ocupado. Asegúrate de que cualquier objetivo que establezcas sea alcanzable, y no te pongas en tu contra si no cumples con todos ellos.

5. **Cuida de ti mismo**: Asegúrate de dormir lo suficiente todas las noches, comer sano

y hacer suficiente ejercicio. Si no te cuidas bien, comenzarás a sentirte más deprimido, letárgico y negativo sobre tu vida.

6. **Busca ayuda**: Si necesita ayuda, nunca te avergüences de pedirla. Amigos, terapeutas, consejeros: hay muchas opciones para que hables con personas serias, que te presten ayuda real cuando tengas dificultades. No tienes que sufrir solo.

Una de las cosas contra las que se lucha muy fuerte después del divorcio es la sensación de pérdida y fracaso. Este sentimiento puede golpear particularmente si has experimentado algún tipo de reducción en tu nivel o calidad de vida después del divorcio, como tener que mudarte a una casa o departamento más pequeño o incluso quedarte en el sofá de alguien. En esos momentos, puede parecer que el mundo se encoge a tu alrededor y la sensación de pérdida de la seguridad que una vez tuviste, y que ahora no, amenace con abrumarte. Este sentimiento también puede golpear cuando te das cuenta de que la dinámica familiar ha cambiado cuando estás con tus hijos y tu ex cónyuge no está allí o te despiertas a una casa vacía. Es útil recordar, en momentos como este, que las cosas mejorarán y que no siempre te sentirás así. Tendemos a mirar hacia el pasado con anteojos color rosa, especialmente cuando es algo que echamos de menos. Tu situación no es lo peor que te puede pasar, y es mucho mejor que estar atrapado en un matrimonio infeliz.

Consejo rápido: Con el tiempo, tu situación mejorará. Tendrás un mejor lugar desde el cual obtener perspectiva y sentirte más familiarizado con tu nueva oportunidad de vida. Volverás a encontrar el amor, a su tiempo, y con las lecciones que hayas aprendido podrás evitar los errores del pasado. Ser optimista hacia el futuro puede ser difícil, pero si puedes concentrarte en reclamar tu individualidad y vivir tu vida de la manera que deseas, te sentirás mejor con todas las cosas.

Palabras finales

Estar casado y divorciarse son cosas por las que más y más de nosotros estamos pasando a medida que avanzamos lentamente por el siglo XXI. Creo que ahora, más que nunca, es esencial que tengamos una idea clara de las dificultades que implica mantener un compromiso de por vida con otra persona, y cuán difícil puede ser hacer que las cosas funcionen. Demasiadas personas se casan con la idea de que las cosas van a ser relativamente fáciles, porque tienen una mentalidad de "somos nosotros" o la idea de que de alguna manera estarán exentas de algo que, como las personas casadas casi unánimemente aceptan, es un trabajo extremadamente duro. Escribí este libro porque me gusta ayudar a la gente. Es la razón por la que he trabajado como terapeuta durante tanto tiempo. Quería condensar mis pensamientos y experiencias de *coaching* sobre cómo permanecer juntos y cómo comenzar a abordar la vida después de separarnos.

Creo que prácticamente todos los matrimonios se pueden salvar, siempre y cuando ambos cónyuges estén dispuestos a intentarlo. En esencia, todas estas cosas realmente requieren dedicación y trabajo duro. Hago una fuerte excepción con los matrimonios abusivos o extremadamente infelices, hay circunstancias en las que hacer que las cosas funcionen es una perspectiva imposible o poco atractiva, pero para la mayoría de las personas, en matrimonios comunes y corrientes con su parte justa de altibajos, hacer que su matrimonio funcione es simplemente una cuestión de actitud y mentalidad. Desde mi experiencia profesional, he aprendido que realmente no hay montaña demasiado alta para escalar, ni obstáculo demasiado difícil de superar. He visto parejas pasar por el infierno, atravesar el peor drama y las experiencias más horribles que puedas imaginar, y salir de ellas más fuertes por haber pasado la prueba. No importa lo que haya sucedido en el pasado, no hay nada que no se pueda corregir en el presente si ambos cónyuges están en la misma página acerca de querer hacerlo.

El trabajo en equipo lo es todo en las relaciones, y esto es especialmente cierto en el matrimonio. El acto legal de unión representa el pináculo de la intimidad y la cercanía. Como seres humanos, cada uno de nosotros tiene un mundo entero, todo un universo de sentimientos y pensamientos dentro. Compartirlo de una manera tan increíblemente íntima y vulnerable es algo extremadamente difícil de hacer, especialmente cuando significa tener conversaciones duras que quizás no queramos tener. ¿Quién puede decirnos por qué pasamos por esa multitud de circunstancias difíciles? Las cosas parecen sucedernos casi por accidente, sin que nos demos cuenta de la verdadera importancia de lo que estamos haciendo, hasta que nos encontramos hundidos hasta las rodillas en una situación en la que nunca imaginamos que podríamos quedar atrapados antes.

Por eso es tan importante ser amables y compasivos en nuestro matrimonio y en todas las demás áreas. La vida se desarrolla de la manera más extraña, y si no podemos ser totalmente abiertos y honestos con la persona a la que hemos comprometido nuestra vida, ¿con quién? ¿A quién podemos recurrir en nuestros momentos más oscuros, cuando hemos cometido terribles errores y necesitamos desesperadamente perdón? No es fácil, pero nada lo es. Debemos ser capaces de tener en cuenta el panorama general y perdonarnos mutuamente por nuestros errores. Tenemos que poder sentarnos y determinar cómo vamos a superar esto, en lugar de señalar con el dedo y jugar el juego de la culpa cada vez que alguien se resbala.

Hay que ser honestos con nosotros mismos y con nuestros cónyuges, no importa cuán difícil sea eso. Debemos ser capaces de reconstruir la confianza cuando se rompe. Tenemos que comprender y perdonar cuando todo lo que queremos hacer es gritar, juzgar y odiar. Si nos negamos a poner la otra mejilla, si somos incapaces de humillarnos a nosotros mismos y nos damos cuenta de que podríamos vivir muy fácilmente pidiendo perdón y llorando con pesar y desesperación, entonces no podemos participar en el esfuerzo vital que realiza una persona casada.

Los obstáculos que se nos presentan a lo largo de la vida matrimonial son numerosos y difíciles de superar, pero siempre es posible hacerlo. Ya sea que estés lidiando con la infidelidad, la adicción a la pornografía, un dormitorio muerto o el abuso emocional, es tu visión de ti mismo, de tu vida, de tu cónyuge y del matrimonio que comparten, lo que determinará si son capaces de trabajar y avanzar juntos con una mejor comprensión de los demás, o si te echas para atrás tan pronto como las cosas se pongan difíciles. Aunque nadie puede asegurar cuándo debes quedarte para tratar de hacer que las cosas funcionen o cuándo debes dejarlo todo, puedo decirte que no importa con quién estés casado, las cosas nunca serán perfectas. Cometer errores es parte de ser humanos y cada matrimonio experimenta una buena cantidad de dudas, pasos en falso y arrepentimiento.

Espero sinceramente que, con este libro, todos los que lo lean o escuchen puedan entenderse mejor a sí mismos y a las circunstancias y dificultades de su matrimonio. Les mostré lo que se necesita para salvar un matrimonio al guiarlos por consejos aplicables, tanto en general como en un conjunto de circunstancias específicas; el resto depende de ustedes para que lo pongan en práctica. He tratado de inculcarles el conocimiento de que todas estas cosas se reducen a nuestra disposición y capacidad de adaptarnos y perseverar. El resto es irrelevante.

Recuerden que el matrimonio, a pesar de todas sus dificultades y pruebas, es hermoso. Estar exitosamente casados se trata en gran medida de dar un paso atrás y mirar la imagen completa, para así apreciar el contexto más amplio del viaje que estamos haciendo juntos y cuán afortunados somos de tener a alguien a nuestro lado a quien podamos llamar amante, mejor amigo. y compañero de vida, alguien a quien podamos mostrar perdón y recibirlo a cambio, alguien a quien podamos amar y sujetar en sus peores y en sus mejores momentos. El matrimonio es un trabajo duro, como cualquier cosa que valga la pena en la vida. El truco es entrar sabiendo que va a ser doloroso, sabiendo que a veces dolerá, pero entendiendo que también será hermoso, lleno de luz, amor y risas. Todos te hieren tarde o temprano y tú hieres a todos exactamente de la misma manera. El truco es encontrar a alguien por quien valga la pena ser herido.

Lightning Source UK Ltd.
Milton Keynes UK
UKHW021858280620
365591UK00014BA/756

9 783991 040118